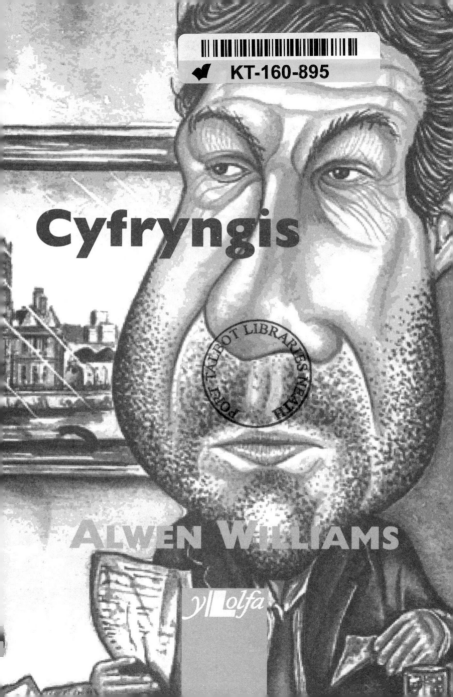

Cyfryngis

ALWEN WILLIAMS

y Lolfa

*I'm rhieni,
am roi i fyny efo llawer*

Dychmygol yw holl gymeriadau a sefyllfaoedd y nofel hon.

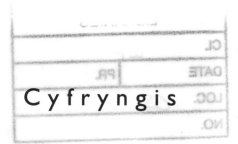

Cyfryngis

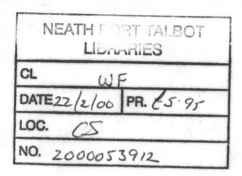
Argraffiad cyntaf: 1999

Clawr: Colin Barker

Rhif Llyfr Rhyngwladol: 0 86243 507 2

Cyhoeddwyd yng Nghymru
ac argraffwyd ar bapur di-asid a rhannol eilgylch
gan Y Lolfa Cyf., Talybont, Ceredigion SY24 5AP
e-bost ylolfa@ylolfa.com
y we www.ylolfa.com
ffôn (01970) 832 304
ffacs 832 782
isdn 832 813

PENNOD 1

WA-A-A-A-A-A! Rhuodd y cloc larwm creulon gan wthio rhithyn bach o ymwybyddiaeth i amharu ar drwmgwsg Mered. Agorodd ei lygaid a'u cau ar frys. Roedd rhyw gysur yn y gwacter du y tu mewn i'w ben. Mentrodd agor un llygad eto, a gwingo. Dechreuodd rhywun daro'i benglog efo gordd. Hanner awr wedi chwech. Pam ddiawl bod y blydi cloc uffar 'na wedi canu mor gynnar? Yna cofiodd. Roedd o i fod yn y stiwdio erbyn saith i drafod helynt... helynt... rhywbeth ynglŷn â Pico Parry, un o sêr ifanc disglair y Blaid Lafur. Pico, yn ôl pob pyndit, oedd un o'i hymgeiswyr mwyaf addawol ar gyfer y Cynulliad. Un o feibion Tony Blair. Dyn busnes llwyddiannus. Perchennog cwmni teledu a chlwb nos. Fyddai'r ffaith ei fod yn hoyw ddim yn rhwystr iddo yng Nghanol Dinas Caerdydd, y fwyaf trendi o etholaethau Cymru. Roedd pawb yn dweud ei fod o'n siŵr Dduw o gipio'r sedd. Be oedd o wedi'i wneud? O hec, doedd y manylion ddim yn glir yn ymennydd Mered. A dweud y gwir, roedd ei ymennydd yn teimlo fel llond sosban o uwd oer, yn slwj diwerth. Gobeithio ei fod wedi cofio archebu tacsi y noson cynt, ac y byddai'n cael cyfle i sganio'r *Western Mail* cyn mynd ar yr awyr. Prif Ohebydd Gwleidyddol Gwifrau Gwalia wir! Mi fyddai gwell sylwadau i'w cael gan gyw newyddiadurwr ar y *Llanbidinodyn Times*.

Cododd ar ei eistedd yn y gwely, yn dal i wincian er mwyn dygymod â'r hanner goleuni. Ew, roedd ei ben yn brifo. Yna fe'i gwelodd Hi. O shit. Ffyc. Blydi hel. Pwy oedd hon? Gorweddai ar ei hochr yn wynebu'r wal, a'r cwrlid reit drosti. Yn ôl yr hyn a welai, roedd hi'n hogan nobl, efo cnwd o wallt coch yn llifo dros y gobennydd. Pwy ffwc oedd hi? Cofiai Mered fod yn y Prins O' Wales, ac roedd ganddo frith gof o dywallt peint ar ôl peint o Tennant's Extra i lawr ei gorn gwddw ond doedd ganddo ddim cof o gwbl o ddod â merch adre. Roedd yr amlenni condoms ar lawr yn dyst, fodd bynnag, o'r hyn y buon nhw'n ei wneud – neu o leia'n trio'i wneud. Roedd gweddillion o leiaf bedair amlen wedi eu rhwygo wrth droed y gwely, rholyn latex tebyg i ddymi wedi'i wasgu yn dal ynghlwm wrth ddwy ohonynt ac un arall wedi'i hymestyn fel croen sosej gwag ychydig droedfeddi i ffwrdd. O wel. Gobeithio'i bod hi wedi cael amser gweddol.

Bi-i-i-i-i-i-b! Os nad oedd o'n gloc larwm roedd o'n rhywbeth arall! Aw! Llusgodd Mered ei hun yn noethlymun at y ffenest. Roedd y blydi tacsi yno'n barod.

"All right. I'll be there now." Doedd dim amser i chwilio am ddillad glân. Estynnodd y crys a'r trôns a oedd wedi eu gollwng yn bentwr blêr ar lawr. Diolch i Dduw ei fod wedi mynd allan yn syth o'r gwaith, yn ei siwt. Roedd 'na dipyn o olwg ar y siaced ond mi wnâi y tro. Dyn a ŵyr ble'r oedd ei sanau.

Bib bi-i-i-i-i-i-b.

"Ol reit, twat. Fydda i ddim dau funud!"

Agorodd dau lygad slei ar y gobennydd. "Lle 'ti'n mynd mor fuan?"

"Y... be? I'r gwaith." Doedd Mered ddim wedi ystyried y gallai'r corff benywaidd ddeffro. Doedd ganddo ddim amser i astudio'r wyneb i weld a oedd o'n dlws ai peidio.

"Am chwarter i saith y bore?"

"Ia, gen i ofn 'sti. Gorfod gwneud cyfweliad ar *Bore Da Gwalia* am saith."

"Mae'n wir felly?"

"Be?"

"Dy fod ti ar y teli."

"Ydw. Wel, radio actiwyli. Ond dw i wedi bod ar y teli unwaith... digon tebyg 'di'r ddau 'sti. Hei sori – rhaid i mi fynd. Hwyl!" Gafaelodd Mered yn ei esgidiau a rhuthro allan efo hosan am un droed a'i dei dan ei glust. Trodd y gochen ar ei hochr a dechrau rhochian cysgu unwaith eto.

* * *

Yn y stafell newyddion roedd Heledd Haf yn cael ffit biws. Hi oedd un o gynhyrchwyr newyddion boreol Gwifrau Gwalia, ac roedd hi'n brin o eitem. Yn brin o'i phrif eitem a dweud y gwir. Y sgandal wleidyddol fwyaf ers affêr Rhodri Tudur y flwyddyn cynt – Pico Parry, un o'r ymgeiswyr mwyaf blaenllaw ar gyfer y Cynulliad yn diflannu, a dim gohebydd gwleidyddol i ddyfalu i lle roedd o wedi mynd. Lle roedd yr hurtyn Meredydd Huws yna? Y ffŵl anghyfrifol! Roedd hi'n amau ei fod yn feddw pan ffoniodd hi fo ar ei fobeil am hanner awr wedi deg y noson cynt.

"Oedd e'n slyrro pan alwes i e n'ithwr!" bloeddiodd ar neb yn benodol, gan beri i Marilyn yr ysgrifenyddes neidio.

"*Calm down* rŵan, del," meddai hi. Cofi Dre oedd Marilyn yn wreiddiol, wedi byw yng Nghaerdydd ers dros ddeng mlynedd ar hugain ond wrth ei bodd yn gweithio i gwmni gydag ail swyddfa yng Nghaernarfon, er mwyn cael y *gossip* am be oedd yn mynd ymlaen ar y Maes ar nos Sadwrn, pwy o'i hen ffrindiau oedd wedi ysgaru ac ailbriodi, a hyd yn oed pwy oedd bellach yn daid a nain. Y perc gorau oedd ambell drip i'r Gogs efo'i sgileffeithiau pleserus, fel noson allan yn Morgan Lloyd a chyfle i aros efo Mam. Roedd Marilyn wedi gweithio yn y cyfryngau bron cyn hired â Hywel Gwynfryn, wedi profi pob argyfwng o'r blaen a rhoi cenedlaethau o newyddiadurwyr ar ben ffordd. " 'Di o ddim yn ddiwedd y byd, 'sti del," meddai'n ddigynnwrf. "Gei di roi brawddeg neu ddwy am Pico ar dop newyddion saith, ac mi fydd Mered yn ffresh gen ti wedyn ar gyfer yr Wyth. Mae gen ti gyfweliad byw am sioe floda Llanbryn-mair yn does? Wel, gad i hwnnw fynd ymlaen am bedwar munud yn lle dau a fydd 'na ddim problem. Elli di orffen funud yn gynnar os lici di hefyd, sylwith neb yr adeg yma o'r bora. A cofia – *it ain't brain surgery*! 'Sdim isho poeni!"

"Ond ddyle fe fod 'ma!" Roedd wyneb Heledd yn fflamgoch wrth iddi chwilio'n wallgo am rif ffôn Mered. "O damo, pam na wnes i'i ffono fe am chwech?"

"Paid â phoeni, falla'i fod o ar ei ffordd," meddai Marilyn.

Ond doedd Heledd ddim yn gwrando; sgyrnygu yr oedd hi y dylai pawb arall fod yn panicio, wir, nid jest hi.

Prin yr oedd Maldwyn Lloyd, y cyflwynydd, wedi sylwi ar y ddrama a oedd yn cael ei gor-actio o dan ei drwyn. Yn wir, roedd ei drwyn wedi bod yn ddwfn yn ei bapur newydd drwy gydol y bore. Mi fyddai'r hen Fald wedi hoffi i weddill y tîm newyddion gredu ei fod yn ymbaratoi'n feddyliol at yr orchwyl o'i flaen. Ond gan nad oedd o wedi mynd ddim pellach na thudalen tri y

Sun, gwyddai nad oedd ganddo fawr o obaith o ddarbwyllo neb ei fod yn treulio'i amser yn meddwl am gwestiynau treiddgar.

"Well i ni fynd, Mald." Marilyn oedd yn galw – roedd y cynhyrchydd yn rhy brysur yn harthio rhyw *Double Dutch* i lawr y ffôn i gofio am yr amser.

"Y? Ol reit," atebodd Maldwyn heb friwsionyn o frwdfrydedd, a llowcio gweddill ei goffi oer mewn un gegaid cyn cuddio'r *Sun* yng nghanol tudalennau'r *Times* a chychwyn am y stiwdio.

"Mae hi'n awr yn tynnu am saith; fe awn ni drosodd at Maldwyn Lloyd am newyddion diweddaraf Gwifrau Gwalia," meddai'r llais o'r stiwdio drws nesaf.

Jing-a-ling-ding-dong-jing-a-ling-ling! meddai'r jingl.

"Bore da, dyma'r penawdau," meddai Maldwyn.

Doedd Heledd ddim wedi cyrraedd y stiwdio.

"Darllena'r sgriptia sy o dy flaen di, cyw, a chadwa i fynd nes ei bod hi'n cyrraedd," meddai Marilyn o'r blwch rheoli.

"Yr heddlu'n chwilio am un o aelodau amlycaf y Blaid Lafur yng Nghymru.

"Daeargryn yn China – ofn bod miloedd wedi marw.

"Tân mewn ysgol ym Mhontypridd wedi ei gynnau'n fwriadol."

"Caria 'mlaen, del, dal dim golwg o Heledd," meddai Marilyn o'r blwch.

"Mae'r heddlu'n chwilio am un o ymgeiswyr y Blaid Lafur ar gyfer y Cynulliad Cenedlaethol," meddai Maldwyn. "Does neb wedi gweld Pico Parry, cynhyrchydd teledu a pherchennog clwb nos yng Nghaerdydd, ers rhai dyddiau. Mr Parry ydi ymgeisydd Canol Dinas Caerdydd ar gyfer y Cynulliad. Mi ddown ni â rhagor o fanylion i chi yn y man…"

"Blydi hel, lle mae Heledd," meddai Marilyn wrth Now y peiriannydd a oedd yn y blwch efo hi. "Oedd hi'n cwyno digon bod Mered heb droi i fyny..."

Ar y gair rhuthrodd y cynhyrchydd i'r stiwdio fel corwynt a Mered ar ei hôl yn edrych fel bwgan brain. Diflannodd ei hacen dosbarth canol Caerdydd wrth iddi ei ddiawlio.

"Ffycing hel ddyn, lle ti 'di bod? Ma' ishe blydi tsiaen i dy gadw di *in control* fathe blydi ci, man. Mas yn meddwi tan orie mân y bore a'r stori fwyaf ni wedi'i chael ers blynydde yn torri n'ithwr! Cer miwn i'r stiwdio 'na a cer â rhain 'da ti!" Rhoddodd hergwd i Mered drwy ddrws y blwch rheoli a thaflu *Western Mail* a *Daily Post* agored ar ei ôl. Os oedd o'n gweld sêr gynt roedd o'n gweld y Llwybr Llaethog yn ei holl ogoniant wedyn. Caeodd Heledd ddrws y stiwdio efo clep ddigon uchel i holl wrandawyr Gwifrau Gwalia'i chlywed.

Dechreuodd Mered ymbalfalu am y *Western Mail* a oedd rywsut wedi glanio o dan gadair Maldwyn. Cario 'mlaen i ddarllen a wnaeth o, fel pe na bai dim wedi digwydd, gan roi cic slei i Mered pan ddychmygodd bod hwnnw'n chwarae efo'i goesau wrth geisio achub y papur newydd.

"Fe fydd ysgol gynradd ym Mhontypridd ynghau am weddill yr wythnos ar ôl i ran o'r adeilad gael ei ddinistrio gan dân," meddai. "Dechreuodd y fflamau yn un o'r stafelloedd dosbarth ac mae'r gwasanaeth tân yn credu iddyn nhw gael eu cynnau'n fwriadol. Dyma adroddiad Siân Ellis."

Wrth lwc roedd Now yn barod efo'r tâp.

"Anghofia'r blydi tân, cer 'nôl i'r brif stori," gwaeddodd Heledd Haf o ochr arall y gwydr a'i hwyneb yn biws.

Prin yr oedd Mered wedi cael cyfle i eistedd yn ei gadair.

Edrychodd Maldwyn yn bryderus am eiliad. "Ti'n siŵr?" amneidiodd.

"Wrth gwrs wi'n blydi siŵr," meddai hi, a stêm yn dod o'i chlustiau.

"Wel, fe allwn ni fynd yn ôl at ein prif stori nawr," meddai Maldwyn. "Fel y dywedais i gynnau, mae'r heddlu'n chwilio am un o ymgeiswyr y Blaid Lafur ar gyfer y Cynulliad. Does neb wedi gweld Pico Parry, sydd i fod i sefyll dros Ganol Dinas Caerdydd, ers rhai dyddiau. Gyda mi yn y stiwdio nawr mae ein Prif Ohebydd Gwleidyddol, Meredydd Huws. Meredydd, be sy wedi digwydd?"

"Wel, Maldwyn," meddai Mered a'i ben yn dal i guro, "fel hyn y mae hi mae'n debyg." Craffodd ar y papur o'i flaen gan ymdrechu – heb fawr o lwyddiant – i beidio â gwneud gormod o sŵn efo'r tudalennau. "Mae'r heddlu'n chwilio am Pico Parry ar ôl i'w bartner gysylltu â nhw i ddweud nad ydi o wedi clywed ganddo ers pum niwnod... Fel y gwyddoch chi, Maldwyn, perchennog cwmni teledu Venus a chlwb nos y Paradiso yng Nghaerdydd ydi Mr Parry... y fo sy'n gyfrifol am Y Rêf Gymraeg sydd i'w gweld yn wythnosol ar S4C Digidol a fo ydi ymgeisydd etholaeth Canol Dinas Caerdydd ar gyfer y Cynulliad..."

"Stopia blydi malu cachu," meddai Heledd yn flin wrth bawb yn y blwch rheoli.

Baglodd Mered yn ei flaen. "Mae'n debyg... bod disgwyl i Mr Parry fynd i'r gogledd y penwythnos diwetha... un o'r gogledd ydi'i bartner o, Jeremy Bird, yn wreiddiol, ac yno y mae o ar hyn o bryd am fod ei fam yn wael... Wel fel y deudais i, roedd disgwyl i Mr Parry fynd yno dros y penwythnos ond wnaeth o ddim cysylltu o gwbl... Mae 'na dipyn o bryder nad ydi o wedi bod yn ei swyddfa yn ystod y deuddydd diwetha chwaith."

"Oes gan rywun syniad pam ei fod o wedi diflannu?"

"Wel, na, mae'r peth yn ddirgelwch mawr..." Crechwenodd Maldwyn wrth i Mered frwydro i gyfieithu prif erthygl y *Western Mail*, "... does neb yn ymwybodol bod ganddo broblemau... mae ei gwmni yn brysur iawn; ond mae rhai yn dweud ei fod o'i hun dan gryn dipyn o bwysau rhwng ei fusnes a'i waith gwleidyddol..." Llwyddodd i hercian trwy weddill y cyfweliad, a gorffen fel ceffyl ola'r ras, heb syrthio, ond yn haeddu fawr o glod chwaith.

Whiw! Sleifiodd Prif Ohebydd Gwleidyddol Gwifrau Gwalia trwy ddrws y stiwdio a'i chychwyn hi am y smôc rwm i gael ffag. Roedd o wrthi'n llongyfarch ei hun am beidio â gwneud gormod o ffŵl ohono'i hun gerbron y genedl, pan saethodd Heledd Haf ar ei ôl.

"Oedd hynna'n uffernol!" meddai. "Wi moyn gwell tro nesa. Ga i air 'da ti 'to!"

Roedd hangofyr Mered wedi gwaethygu a gwella eto erbyn i'r bòs gyrraedd. Dyn bach crwn fel pêl oedd Ellis Wynne, Golygydd Newyddion yr orsaf. Byddai'n gwneud ei orau i ddilyn y ffasiwn, ond fel arfer edrychai fel y person sy wedi bachu popeth na wnaiff neb arall ei brynu ar ddiwedd sêls mis Ionawr.

"Diolch yn fawr iawn i ti am ddod i mewn bore 'ma, Mered. Ardderchog wir," meddai cyn gwibio i'w swyddfa fel cwningen i dwll.

Gwgodd Heledd. Fyddai hi ddim yn bosib cael Mered i wneud mwy o ymdrech os oedd O yn dweud bod popeth yn iawn. Gwenodd Mered yn smyg. Roedd o'n dechrau bod yn falch ei fod wedi cael ei lusgo i'r gwaith yn gynnar.

Mi allai hynny fod gryn dipyn yn well na dechrau dod i nabod y ddynes ddiarth yn y gwely ben bore. Mi fyddai wedi hoffi mynd adre am shêf ac i newid ei grys a'i sanau, ond roedd o ofn na fyddai hi wedi gadael.

"Reit bobol, gawn ni gyfarfod?" Am eiliad yn unig y rhoddodd Ellis Wynne ei ben drwy ddrws ei swyddfa. Erbyn i bawb heidio i'r stafell fach â waliau gwydr roedd o yn ôl y tu ôl i ddiogelwch cymharol ei ddesg.

"Llongyfarchiadau, Heledd, ar raglen bore 'ma," meddai gan rwbio'i farf. Ar ôl blynyddoedd o fagu *designer stubble* roedd o wedi tyfu locsyn bwch gafr, ac yn methu dygymod yn iawn ag o. "Be sy gen ti ar gyfer amser cinio?"

"Wel, mae'r heddlu'n cynnal cynhadledd i'r wasg ynglŷn â diflaniad Pico a wi moyn i Mered fynd i fan'no," meddai hi. "Mae'n debyg bod ei gariad e dal yn y gogledd felly wi wedi gofyn i Bethan yng Nghaernarfon drial cael gafael arno fe ond sa i'n gwybod wnaiff e siarad. Sa i'n siŵr yw e'n siarad Cymraeg chwaith – oes rhywun yn nabod e?" Ddywedodd neb ddim. "O wel. Wi wedi rhoi bid mewn am rywun o'r Blaid Lafur hefyd i ddod i'r stiwdio i drafod oblygiade colli Pico, a hithe mor agos i'r etholiad. Does 'na ddim byd arall o bwys, *really*. Mae 'na gynhadledd ar droseddwyr ifanc ym Mhen-y-bont. Gallet ti fynd i fan'no, Eluned. Wi moyn i Siân gario mlaen 'da stori'r tân ym Mhontypridd."

Gwgodd Eluned Ogwr gan wneud i'w thrwyn edrych yn fwy hir a main nag erioed. Gohebydd Caeardydd oedd hi, ac roedd yn gas ganddi orfod ufuddhau i gynhyrchydd a oedd ddeng mlynedd yn iau na hi. Ac roedd gan y gnawes yr hyfdra i'w hanfon hi o'r brifddinas! Mewn gwirionedd roedd Eluned Ogwr ar dân eisiau dilyn hanes Pico Parry.

"Unrhyw beth arall, Heledd?"

"Cwpwl o achosion llys, *feature* am feicie modur yn Sir Fôn..." Roedd y straeon yn mynd yn fwy diflas wrth iddi dynnu at ddiwedd y rhestr. "Siawns na wnaiff stori Pico'n cadw ni i fynd. Fydd dim angen lot mwy."

"Na, go brin," meddai'r Golygydd yn hunangyfiawn. "Twt lol, be nesa. Dyn yn ei oed a'i amser yn diflannu fel 'na. Ddim yn deud wrth ei... ahem... bartner na neb! Mae 'na lot i'w ddweud dros lân briodas yn does!"

Gwyddai pawb na fyddai Ellis ei hun yn mynd cyn belled â'r tŷ bach heb ganiatâd ei wraig. Roedd gafael Delyth Wynne ar ei gŵr yn haearnaidd. Ddywedodd neb ddim, ond teimlodd Mered ei hun yn cochi at ei glustiau.

* * *

"Hello, this is Eluned Ogwr from Gwifrau Gwalia. I want to speak to the press officer in charge, please. Beth? Chi ddim yn siarad Cymraeg? Dyw hyn ddim digon da! Beth? Chi'n dysgu? Wel...

"Moyn – gwybod – ydw – i – beth – sy'n – mynd – 'mlaen – ym – Mhen-y-bont – bore 'ma. Yw hi'n – werth – dod – draw i recordio – eitem – radio? Beth? Fydd 'na – rywun – yn – siarad – Cymraeg yno? Nage – dim – ond – chi. Rhywun – gwell – gobeithio?"

Damo. Dyna hi wedi methu dod allan o hynna. Roedd Eluned Ogwr bron â marw eisiau mynd ar drywydd Pico Parry, er na fyddai'n cyfaddef hynny wrth neb. Hi oedd gohebydd y brifddinas a chan mai un o'r brifddinas oedd yntau, hi a ddylai gael dilyn yr hanes. Iawn i'r mymryn Meredydd Huws yna gael mwydro a malu awyr yn y stiwdio ond ganddi Hi yr oedd y statws a'r cysylltiadau i wneud cyfiawnder â'r stori. Roedd Eluned Ogwr yn nabod pawb bron yng Nghaerdydd, cyn belled â'u bod yn byw mewn tŷ pedair llofft neu ragor, dau fathrwm a garej ddwbl yn Rhiwbeina, Cyncoed neu (jest abowt) yr Eglwys Newydd. Ond am y tro byddai'n rhaid bodloni ar droseddwyr ifanc Pen-y-bont, er bod taith hanner awr ar hyd yr M4 yn mynd â hi allan o'i phatsh a reit allan o'i dosbarth cymdeithasol.

"Bydd, Mrs Ogwr. Bydd un o'r tros-ed-wyr ifanc yn siarad Cymraeg. Mae e'n cyn-disgybl yn Ysgol Gymraeg Llanhari."

"Ms Ogwr os gwelwch yn dda! Wnes i ddim newid fy enw ar ôl priodi. Beth – yw – enw'r – bachgen – ifanc?"

"*Sorry*, Ms Ogwr. Ei enw yw Richard Evans. Mae e newydd dod mas o *centre for young offenders*." Hm. Felly fe fyddai'n rhaid iddi siarad â throseddwr cyffredin. "Bydd Richard yn cael ei ad-uno gyda ei deulu ac yn sôn am y profiad o bod mewn *institution*," meddai'r llais ar y ffôn.

"Diolch yn fawr," meddai Eluned a thinc sarhaus yn ei llais. "Fe fydda i'n edrych ymlaen i'w gyfarfod!"

"Popeth yn iawn, Eluned?" holodd Ellis Wynne a oedd yn digwydd mynd heibio wrth iddi lambastio'r ffôn yn ôl i'w grud.

"Os wyt ti'n galw mynd i groesawu adyn allan o'r carchar yn iawn, wel ydyn, mae'n debyg eu bod nhw!" bloeddiodd hi. "Oes 'da ti fenthyg pumpunt i mi? Fydde'n well i mi fynd â siampên efo fi i drial rhoi'r argraff y bydd e'n dathlu. Fe gei di'r newid prynhawn 'ma. Sa i'n mynd i foddran efo siampên iawn. Fydd teulu tŷ cyngor damed callach ta beth!" Cythrodd am allweddi'r Volvo ac allan â hi.

* * *

Gwingodd Mered o dan wres y lampau yn stafell gynadledda gorsaf yr heddlu. Suai llais y Prifgwnstabl o gwmpas y lle yn ddiflas fel pry chwythu. Prin yr oedd Mered wedi sgwennu gair yn ei lyfr nodiadau; dim ond wedi tynnu llun cyfres o foch tew mewn lifrai yn gwisgo sbectol yr oedd. Ar y naill ochr iddo roedd blonden oddeutu ugain oed mewn sgert gwta, a'i bronnau wedi eu hamlinellu'n glir o dan ei thop tyn. Craffodd Mered arnyn nhw'n werthfawrogol am dipyn. Ar yr ochr arall roedd hen hac papur newydd, a'i fysedd yn felyn gan faco, pelen werdd yn hongian o'i drwyn a staen seimllyd wy wedi ffrio ar flaen ei grys.

Damia, meddyliodd Mered. Gobeithio na fyddai'r stori hon yn golygu y byddai'n rhaid iddo weithio dros y Sul. Bob prynhawn Gwener, oni bai bod gwaith yn galw, byddai'n neidio i mewn i'r car ac yn ei sgrialu hi i fyny'r A470. Union dair awr a chwarter yn ddiweddarach, a'r teiars yn boeth, byddai'n parcio y tu allan i'w gartref yn y Felinheli. Yn swyddfa Gwifrau Gwalia yng Nghaernarfon yr oedd Mered yn gweithio cyn cael ei ddyrchafu'n Brif Ohebydd Gwleidyddol. Yn dilyn ei ddyrchafiad bu'n rhaid iddo symud i'r brifddinas – cam nad oedd ei wraig yn fodlon ei ystyried. Doedd gan Mered felly ddim dewis ond llogi fflat yng Nghaerdydd a dychwelyd at ei deulu bob penwythnos. Byddai Sioned yn gandryll bob tro y byddai gwaith yn ei rwystro rhag dod adref, a pheth arall roedd angen crysau a thronsys glân arno.

"Ar ddydd Mawrth yr unfed ar bymtheg o Fawrth, 1999, cawsom alwad ffôn yn tynnu ein sylw at ddiflaniad John Pritchard Parry," meddai'r prif gop. "Fe roddodd ei bartner wybod i ni nad oedd wedi bod mewn cysylltiad â fo ers dydd Gwener, y deuddegfed o Fawrth".

"Blydi hel mae'r cops 'ma'n boring," meddai Mered wrth y flonden.

Fflachiodd camerâu a gwyrodd yntau dros ei bapur sgwennu. Doedd o ddim eisiau cael ei lun yn ddamweiniol ar newyddion y teledu. Byddai Sioned yn siŵr o sylwi ei fod heb eillio, a bod ei grys yn ddi-raen. Gorffennodd y plismon ei araith, a gwahodd y gohebwyr i ofyn cwestiynau.

"Oedd gan Mr Parry broblemau?"

"Tydyn ni ddim yn ymwybodol o unrhyw beth oedd yn ei boeni. Yr unig wybodaeth sydd ganddon ni ar hyn o bryd yw'r hyn rydyn ni wedi'i gael gan ei bartner."

"Sut berthynas sydd gan Mr Parry a'i bartner?"

"Tydyn ni ddim yn ymwybodol bod dim byd o'i le."

"Fydd 'na ymholiadau arbennig yn cael eu gwneud am fod Mr Parry'n wrywgydiwr?"

"Rydyn ni'n trin ei ddiflaniad gyda'r difrifoldeb mwya, fel y basen ni'n trin unrhyw achos o'r fath. Wrth gwrs, rydyn ni'n gobeithio holi ei gydnabod, beth bynnag fo'u rhywioldeb. Ond na, tydyn ni ddim yn trin yr achos yma mewn unrhyw ffordd arbennig am fod Mr Parry'n hoyw."

"Ydych chi'n amau bod trosedd wedi'i chyflawni?"

"Does ganddon ni ddim lle i amau trosedd ar hyn o bryd."

Llwyddodd y prif gop i osgoi pob cwestiwn, wrth gwrs. Roedd ei allu i wneud i stori dda swnio'n ddiflas yn rhyfeddol. Ond byddai rhai o'r gohebwyr papur newydd wedi troi a thylino'r geiriau i greu rhywbeth llawer mwy lliwgar erbyn y bore. Ysai Mered am wneud yr un fath.

"Esgusodwch fi. Wnewch chi gyfweliad efo fi ar gyfer Gwifrau Gwalia?" Hoffai Mered fod ar delerau ti a thithe efo'i gontacts, ond roedd y prif gopyn yn Lot Rhy Bwysig.

Gwthiodd ei frest allan fel gorila. "Wnaethoch chi ddim recordio'r hyn a ddywedais i yn y gynhadledd?"

"Yn Gymraeg os gwelwch yn dda."

Edrychodd yr heddwas yn hyll ond wnaeth o ddim gwrthod. Doedd o ddim eisiau'r drafferth o dynnu bois yr iaith i'w ben.

"Ers pryd ydych chi'n chwilio am Pico Parry?"

"Ar ddydd Mawrth yr unfed ar bymtheg o Fawrth, 1999, cawsom alwad ffôn yn tynnu ein sylw..." Swniai'r plismon yn union fel robot a doedd fawr mwy yn ei ben, meddyliodd Mered. Aeth yn ôl i'r swyddfa efo cyfweliad diflas a oedd yn dweud y nesaf peth i ddim.

Ond doedd dim gwahaniaeth. Roedd Heledd Haf am unwaith yn hapus. Mor hapus, yn wir, fel ei bod bron â dawnsio o gwmpas y stafell newyddion. Roedd Jeremy Bird wedi addo mynd i'r stiwdio yng Nghaernarfon i gael ei gyf-weld. Bethan yr ymchwilydd oedd wedi trefnu'r cyfan, ond y hi, Heledd, a fyddai'n cael y clod. Ffigwr barfog, cysgodol oedd Jeremy a oedd, yn ôl y sôn, yn byw ar arian Pico Parry. Roedd y rhai a oedd yn eu hadnabod ers blynyddoedd yn cofio'r ddau ar orymdeithiau hawliau hoyw, gwrth niwclear ac unrhyw achos arall yr oedden nhw'n ei ystyried yn deilwng yn yr wythdegau. Ond wrth i Pico ddod yn wleidydd mwy blaenllaw daeth ei wleidyddiaeth yn fwy parchus a diflannodd ei gariad yn raddol o res flaen protestiadau i seddi cefn y cyfarfodydd y byddai Pico'n eu hannerch. Doedd neb wedi disgwyl ei glywed o'n siarad, ond fe'i darbwyllwyd gan Bethan, a oedd yn digwydd bod yn yr ysgol efo fo. Roedd Heledd wedi anfon tacsi i dŷ ei fam yn Abersoch i'w nôl yn barod, rhag i neb arall lwyddo i gael gair â fo cyn Gwifrau Gwalia.

Doedd y sgŵp ddim yn newydd da i Mered. Byddai'n

tynnu'r gwynt o hwyliau ei stori o. Tynnodd y tâp o'i beiriant recordio, ac eistedd i lawr yn bwdlyd i wrando arno.

* * *

Yng Nghaernarfon roedd pawb eisoes wedi cael llond bol ar Heledd Haf a'i sterics. Roedd hi ar y ffôn bob munud eisiau gwybod a oedd Mr Bird wedi cyrraedd, pa hwyl oedd arno, a oedd pawb yn siŵr bod ei Gymraeg yn ddigon da i wneud y cyfweliad yn fyw, a faint o siwgwr roedd o eisiau yn ei goffi. Roedd Bethan wedi cael gorchymyn i dacluso desgiau pawb, sbring-clinio'r stiwdio a rhoi dŵr i'r planhigyn – ac roedd tri chwarter awr i fynd o hyd cyn y rhaglen.

Iesu Grist, meddyliodd, tybed fasa rhywun yn gwneud cymaint o ffys ohona i pe baswn i'n troi'n *raving lezzie* ac yn tyfu locsyn?

Dim ond rhyw frith gof oedd gan Bethan o Jeremy yn yr ysgol. Roedd o 'chydig yn hŷn na hi ac wedi achosi cryn dipyn o gyffro ymysg merched yr ardal pan symudodd i Ben Llŷn efo'i rieni. Wnaeth hi ddim trafferthu meddwl gormod amdano. Byddai ganddo gariad bob amser, wedi ei dewis o blith merched delaf y pumed a'r chweched. Byddai bob amser yn cael un o'r prif rannau yn nramâu a sioeau cerdd yr ysgol. Doedd neb yn synnu iddo fynd i astudio yn y Coleg Cerdd a Drama yng Nghaerdydd. Ond mi achoswyd tipyn o gynnwrf pan ddaeth adref un gwyliau fraich ym mraich â rhyw gadi ffan o actor arall.

"*That'll be forty quid, love,*" meddai'r gyrrwr tacsi efo acen *Brum* drwchus. "*Who do I invoice?*"

"*Just send it to Gwifrau Gwalia in Cardiff,*" meddai Bethan.

"*Gwiff wot? God, you and your bleeding Welsh names...*" Ar hynny dringodd Jeremy allan o'r car mewn cwmwl o CK1.

"Bethan, cariad, sut wyt ti erstalwm!" meddai gan ymestyn i gusanu'r awyr gyferbyn â'i chlustiau.

Hm, tydi o ddim yn edrych hanner cyn ddelad heb ei wallt, meddyliodd hi.

"Mor braf dy weld ti eto, mae'n rhaid ei bod hi wedi bod yn flynyddoedd! Ti'n edrych yn grêt!" meddai yntau. Prin yr oedd erioed wedi ei chydnabod o'r blaen.

"Neis dy weld tithau," meddai hi, gan wneud ymdrech fawr i wenu. "Gobeithio bod dod yma ddim wedi bod yn ormod o drafferth."

"Ddim o gwbl, cariad," meddai yntau. "A deud y gwir roeddwn i'n falch o gael *break* oddi wrth Mam. Mae hi newydd gael *operation* 'sti ac isho'i thendans ddydd a nos.

"Dim byd difrifol, gobeithio?"

"O na, problema merched. Dallt dim am betha fel'na fy hun."

"Dim sôn am Pico?" gofynnodd Bethan yn ofalus.

"O, mi droith i fyny o rywle. Cariad bach, mae o wedi bod dan gymaint o bwysau'n ddiweddar. Gweithio'n hwyr bob nos – mae 'na gymaint o alw am ei raglenni o. Prin 'mod i'n ei weld o. A'r holl waith gwleidyddol 'ma mae'n ei wneud. Mae'r creadur bach jest â drysu. Dw i'n siŵr ei fod o jest wedi mynd i rywle *to get away from it all*. Dyna sy'n digwydd i gymaint o *stressed out executives* ti'n gwybod. Eisiau bod ar eu pen eu hunain i ffeindio *inner peace*. Dw i'n siŵr ei fod o'n iawn, tasa fo jest yn ffonio i ddeud lle mae o."

"Mae Meiledi wedi cyrraedd," meddai Bethan ar y ffôn.

"Lle ma' ddi... y... fe? Gob'itho so fe 'di dy glywed ti'n dweud 'na!" meddai Heledd Haf yn sarrug.

"Paid â phoeni. Mae o yn y stiwdio'n saff efo paned o goffi, dim siwgwr, ac yn barod am *takeoff*."

"Yn y stiwdio'n barod? So'r rhaglen yn dechrau am hanner awr!"

"Cheith o ddim eistedd yma yn y swyddfa'n ein drysu ni i gyd," meddai Bethan.

"Wel, gofalwch bo' chi ddim yn ypseto fe. A gob'itho bod llaeth iawn 'da chi ar gyfer y coffi nage Coffee Mate!"

* * *

Llusgodd bysedd y cloc tuag at un o'r gloch, a Heledd Haf yn byhafio fel gafr ar daranau.

" 'Da beth dylen i arwain? Yr heddlu neu Jeremy? Meredydd, shwd stwff oedd 'da'r cops?"

"Ti ydi'r cynhyrchydd, ti sy fod i benderfynu," medda fo. Doedd o ddim am awgrymu na ddylai o fod yn brif eitem, waeth pa mor dila ei stori.

"Maldwyn, be chi'n 'feddwl?"

" 'Drycha!" Cododd Maldwyn ei ben o'i bapur am unwaith. "Ti wedi bod yn brefu trwy'r bore dy fod ti wedi llwyddo i gael cyfweliad efo Jeremy Bird. Faint o bobol eraill fydd wedi gwneud hynny?"

"Neb. Wel, wi'n gobeithio 'ny ta beth!" Dechreuodd Heledd frasgamu i fyny ac i lawr y stafell. "Yffach! Beth os yw e wedi siarad â rhywun arall cyn ni?"

"Fydd o ddim wedi cael cyfle, siŵr Dduw," meddai Maldwyn. Roedd panics y cynhyrchydd a'i hanallu i wneud unrhyw fath o benderfyniad wedi mynd ar ei nerfau ers meityn. " 'Drycha," meddai eto. "Stopia fyhafio fel *headless chicken* a gwranda. Ti wedi cael sgŵp. Da iawn ti, gei di seren aur. Ond mi fydd pob Tom, Dic a Harri wedi bod yn *presser* yr heddlu yn bydd? Arweinia efo Mr Bird, am ei fod o'n ecsclwsif i ni."

Gwgodd Mered.

Jing-a-ling-ding-dong-jing-a-ling-ling!

"Un o'r gloch, croeso i'r newyddion," meddai Maldwyn. "Dyma'r penawdau. Yr heddlu'n dal i chwilio am y gwleidydd sydd ar goll o Gaerdydd. Gwifrau Gwalia ydi'r cyntaf i ddod â chyfweliad *ecsclwsif* i chi efo'i bartner o…"

Edrychai Jeremy'n reit gartrefol yn y stiwdio yng Nghaernarfon.

"Parhau mae'r chwilio am Pico Parry, un o obeithion mawr y Blaid Lafur ar gyfer y Cynulliad Cenedlaethol. Roedd o i fod i sefyll dros Ganol Dinas Caerdydd. Yn fyw yn stiwdio Gwifrau Gwalia rŵan mae ei bartner, Jeremy Bird – pnawn da i chi."

"Mr Lloyd!" torrodd Jeremy ar ei draws, "ga i wneud *correction* bach. *Mae* Pico i fod i sefyll ar gyfer y Cynulliad, nid *roedd* o. Beth bynnag sy wedi digwydd iddo fo, dw i'n meddwl bod Pico jest wedi mynd i rywle i *get away from it all* ac mi fydd o'n ôl yn fuan yn barod am y *campaign* mawr sydd o'i flaen o. Mae cael lle yn y Cynulliad Cenedlaethol yn bwysig iawn iddo fo, 'dach chi'n gwybod. Mae ganddo fo lot i'w gynnig, ac i'w gyfrannu, a…"

"Ond fedrwch chi awgrymu i ni pam ei fod wedi diflannu ar adeg mor dyngedfennol?" torrodd Maldwyn ar ei draws.

"Na, ond mae o wedi bod dan lot o bwysau dros y misoedd diwetha a dw i'n meddwl ei fod o angen *break* cyn i'r ymgyrchu ddechrau," meddai yntau. " 'Dach chi'n gweld, pan mae Pico'n gwneud rhywbeth mae'n ei wneud o'n gwbl o ddifri ac mi fydd yn cymryd ei waith fel aelod yn ddifrifol iawn, iawn. Dw i'n meddwl ei fod o jest isho 'chydig o amser ar ei ben ei hun cyn i'r campênio ddechrau."

"Blydi hel, be ydi hyn – parti polit gan Gymdeithas Cefnogi Pico Parry?" sgrechiodd Heledd o'r blwch rheoli. "Stopia fo, Maldwyn!"

"Mae'n rhaid eich bod chi'n poeni neu fyddech chi ddim wedi galw'r heddlu," taniodd yntau.

"Wrth gwrs! Wrth gwrs, dw i'n poeni'n ofnadwy! Dw i ddim 'di cysgu winc ers dyddia, dw i mor ypsét. Mi fasech chi'n ypsetio pe bai'ch gwraig neu'ch cariad chi'n mynd ar goll yn basech? Wel dyna fo, mi ellwch chi ddychmygu sut dw i'n teimlo, felly."

"Oeddech chi wedi cael ffrae efo'ch partner cyn iddo fo ddiflannu?" awgrymodd Maldwyn.

"O! Na! Doedden ni byth yn ffraeo!" ebychodd Jeremy. "Roedd… mae gen Pico a fi berthynas dda iawn! Peth cynta byddwn i'n ei wneud bob bore oedd mynd â phanad iddo fo yn ei wely ac wedyn…"

"Arglwydd mawr, cau'i ben e!" sgrechiodd Heledd Haf. "So ni moyn clywed am ei *sex life* e ar yr awyr! Cau'i ffeder e, Now! Glou!"

"Rhaid i ni ei gadael hi'n fan'na," meddai Maldwyn, ychydig bach yn siomedig. "Rydych chi'n gwrando ar Gwifrau Gwalia, yn dod â chyfweliad *ecsclwsif* i chi efo partner y gwleidydd, Pico Parry, sydd wedi diflannu o'i gartref yng Nghaerdydd. Efallai y gall ein prif ohebydd gwleidyddol daflu tipyn o oleuni ar y dryswch…"

"Diolch, Maldwyn," meddai Mered yn bwysig. "Ydw,

rydw i wedi bod yn dilyn yr hanes yn fanwl drwy'r bore...
dw i wedi bod ym mhrif orsaf heddlu Caerdydd lle'r oedd
lot o gwestiynau'n cael eu gofyn ynglŷn â'i ddiflaniad..."
Dechreuodd ailadrodd yr hyn a glywodd yn y cop shop.

Dylyfodd Maldwyn ei ên.

Edrychai Heledd Haf yn hanner bodlon.

Iesu, mae'n rhaid 'mod i'n boring, meddyliodd Mered.
Penderfynodd newid y trywydd.

"Wrth gwrs, mae'n rhaid i'r heddlu wneud ymholiadau
manwl iawn ynglŷn â bywyd personol y gwleidydd. Fel
'dan ni'n gwybod, mae gwleidyddion yn frid ar wahan
pan mae'n dod i'w bywydau personol."

Agorodd llygaid Maldwyn fel soseri.

Brathodd Heledd ben ei beiro nes ei bod yn tagu ar
blastig ac inc.

"Mi fyddan nhw wrth gwrs yn gorfod turio ymhellach
i gyflwr ei berthynas," meddai Mered gan feddwl am holi
cystadleuol gohebwyr y *Sun* a'r *Mirror*. "Mae'n amlwg bod
rhai yn credu bod ganddo fo broblemau... ac mi allai
hynny fod yn anfantais ar ddechrau ymgyrch etholiadol."

Roedd Heledd Haf yn wyn fel y galchen yn y blwch
rheoli a Marilyn yn methu'n glir â phenderfynu a ddylai
hi fynd i'r tŷ bach i nôl gwydraid o ddŵr iddi ynteu a
ddylai gymryd ei lle yn y Sêt Fawr. Wrth lwc roedd Jeremy
wedi gadael y stiwdio ac yn rhy brysur yn mwydro Bethan
am y cam a gawson nhw gan y brych beirniad a roddodd
ail i'w Cân Actol yn Eisteddfod Sir 1980 i glywed. Ond
roedd Maldwyn yn ei fwynhau ei hun.

"Sut byddai hynny'n effeithio ar ei siawns o ennill sedd
yn y Cynulliad?"

"Wel, a chymryd y bydd o wedi ailymddangos i ymladd
y sedd," meddai Mered yn ddramatig, "mae'n siŵr y bydd

hyn yn cael peth effaith arno. Wedi'r cyfan, mae pawb yn licio pleidleisio dros deulu bach neis... wel... does dim rhaid iddyn nhw fod yn deulu y dyddiau hyn efallai ond 'dach chi'n gwybod be dw i'n 'feddwl... Ond rhaid i chi gofio hefyd y gall gwleidydd da wrthsefyll sgandal. Dyna i chi hanes Rhodri Tudur, unig Aelod Seneddol Ewropeaidd y Blaid Gymreig y llynedd. Roedd pawb yn meddwl ei bod hi ar ben arno fo pan ddarganfu'r papurau ei fod o'n cael perthynas efo'r cyn fodel Tracie de Cannes yn doedd? Ond cyn i chi fedru cyfri *un, deux, trois,* roedd llun o'r ddau – llun bach iawn dw i'n cyfaddef – yn *Paris Match* ac yntau'n dod yn arweinydd grŵp y Cenedlaetholwyr Celtaidd yn Strasbourg. Dau aelod sydd i'r grŵp, ond mi ddaeth yr hanes â nhw i sylw'r cyhoedd..."

Roedd Maldwyn ar dân eisiau procio ymhellach, ond er mwyn ei ddyfodol ei hun penderfynodd ymatal.

"Meredydd Huws, diolch yn fawr," meddai. "Nawr at weddill y newyddion." Rhoddodd winc slei i Marilyn ar ôl gweld lliw gwep y cynhyrchydd. Roedd Heledd Haf yn llipa yn ei chadair, a'i cheg yn agor a chau fel pysgodyn aur ond am unwaith doedd dim sŵn yn dod ohoni.

PENNOD 2

"CYFARFOD PNAWN, BOBOL." Ymlusgodd Ellis Wynne o'i swyddfa fel pry genwair a gwingo'n ôl ar ei union.

"Dau funud, i mi roi eli ar y plorod 'ma," meddai Sion Aled a diflannu efo'i diwb i'r tŷ bach.

Yn raddol gwasgodd y shifft pnawn i mewn i'r stafell wydr. Roedd y tîm cynhyrchu cynnar wedi gadael – Heledd, heb os, i orwedd mewn stafell dywyll efo cadach tamp ar ei thalcen. Roedd Mered wedi diflannu hefyd, adra i gael shêf medda fo, gan alw am un bach sydyn yn y Prins O' Wales ar ei ffordd. Sion Aled oedd y diwethaf i gyrraedd y swyddfa, a'i drwyn a'i fochau'n sgleinio gan Clearasil.

"Wel, be ydach chi'n 'feddwl o'r brif stori?" gofynnodd y bòs.

"Dwn i'm, braidd yn denau ydi hi am straeon newyddion heddiw yntê?" meddai Eric, y cynhyrchydd hwyr. Doedd neb yn gwbl sicr sut yr oedd Eric wedi dod yn gynhyrchydd.

"Dim straeon!" Torrodd Eluned Ogwr ar ei draws mewn angrhedinedd. "Dim straeon! So ti'n meddwl bod hanes Pico Parry'n stori 'te?"

"Pico Parry?" Crafodd Eric ei ben. "Pwy ydi Pico Parry?"

"Pico Parry, y gwleidydd. Fe sy i fod i sefyll dros Ganol Caerdydd ar gyfer y Cynulliad."

"O, y Pico Parry yna ti'n 'feddwl! Y Pico Parry! Ia, wel, ym…"

"Ma' fe wedi diflannu. So ti 'di clywed?"

"Wedi diflannu? Wel... y... na... Golles i dop newydd-ion un, rhaid cyfadde..."

"Ond r'yn ni wedi bod yn rhedeg y stori ers ben bore ac mae hi yn y *Western Mail* a'r *Daily Post*!"

"O ia..." bustachodd Eric. "Do, rŵan dy fod ti'n crybwyll y peth mi welais i rywbeth. I lle mae o wedi mynd?"

"Wel, dyna'r stori, Eric bach. Does neb yn gwybod i lle ma' fe wedi mynd."

"Oes gen ti unrhyw syniadau sut i wneud y stori heno, Eric?" gofynnodd Ellis Wynne a oedd yn ei fyd bach ei hun.

"Wel, mae'n stori dda yn tydi," baglodd y cynhyrchydd, a'i *fillings* aur yn pefrio. "Oes rhywun wedi tapio rhaglen un? Faswn i ddim yn meindio gwrando arni eto, i drio ffeindio onglau gwahanol."

"Wel, paid â gwneud 'run fath â'r Un, ta beth," brathodd Eluned Ogwr. "Fe ddaeth partner Pico i'r stiwdio i siarad amdano, wedyn fe wnaeth Mered groes-ddweud popeth wedodd e, a'i enllibio. Ar gyfer y Chwech dw i'n awgrymu fy mod i yn gwneud y stori ac yn mynd i weld rhai o'u cymdogion nhw."

"Syniad ardderchog, mynd i weld y cymdogion," meddai Ellis Wynne. "Ond wyt ti'n mynd i fod yn brysur efo'r troseddwyr ifanc, yn dwyt Eluned. Mae'n siŵr bod gen ti fwy i'w ddweud amdanyn nhw y pnawn 'ma. Mi weithiodd y siampên yn arbennig o dda amser cinio, gyda llaw."

"Gwin disglair *special offer*, cariad, nage siampên," atebodd Eluned. "Ac fe yfon nhw fe allan o *tumblers* plastig! Ych a fi!"

"Mi fydd Mered yn ôl i wneud y stori wleidyddol, yn bydd?" meddai Ellis.

"Ia, well iddo fo wneud honno," meddai Eric gan nodio fel mandarin. "Wedi'r cwbl, fo ydi'r Gohebydd Gwleidyddol yntê?"

Saethodd picelli miniog o lygaid Eluned Ogwr. "Pam na wnei di anfon Mered i holi gwleidyddion, 'te?" meddai. "Rwy'n siŵr y bydd ganddyn nhw rywbeth i'w ddweud. Roeddwn i mewn parti gyda'r Ysgrifennydd Gwladol gwpwl o wythnose'n ôl, wyddoch chi, ac roedd e'n dweud cymaint yr oedd e'n edrych 'mlaen at yr ymgyrch etholiadol a pha mor addawol yw'r ymgeiswyr ifanc…"

"Y gynhadledd i'r wasg yna efo'r holl ymgeiswyr Llafur?" meddai Ellis. "Do, mi wnaeth Michael Owen eu canmol nhw i'r cymylau – pam na wnei di drio cael gafael arno fo, Eric?"

"O ia… ia, syniad da… oes gen ti rif iddo fo Eluned?" gofynnodd.

Edrychodd hi yn hyllach fyth. "Mae ei rif cartref yn gyfrinachol," meddai, "ac wi wedi addo peidio â'i roi i neb. Ta beth, fydd e yn y Senedd yn Llundain ar hyn o bryd. Ffonia fe yn fan'no."

"Dyna hynna wedi setlo 'ta," meddai Ellis Wynne. "Eric i drio cael Michael Owen i'r stiwdio, Mered i fynd ar ôl cymdogion Pico, Eluned i wneud mwy am droseddwyr ifanc."

Pe bai rhywun wedi rhoi potel o wermod i Eluned Ogwr fyddai hi ddim yn edrych yn fwy chwerw.

* * *

" 'Dach chi'n gwybod be? Panad fasa'n dda!" Cododd Sion Aled ei ben ac edrych o'i gwmpas yn obeithiol. Er mai cyw gohebydd oedd o, roedd yn henffasiwn fel jwg.

Sylwodd Mari, yr ysgrifenyddes, ei fod yn edrych yn ddisgwylgar arni hi. "Mae'r ffaith bod gan rai pobol goc yn golygu nad ydyn nhw'n medru gwneud te," meddai. "Os oes ganddyn nhw goc hefyd," ychwanegodd dan ei gwynt.

"Ty'd yn dy flaen, Mar, mi bryna i beint i ti," ymbiliodd Sion.

"Ol reit 'ta, *deal*," meddai hi, gydag ochenaid. "Waeth i mi wneud paned i bawb, ddim. Llaw i fyny pwy sy isho te… dau, pedwar, pump… pwy sy isho coffi? Be am Mered – coffi fydd o'n ei gymryd yntê?" Edrychodd pawb o'u cwmpas yn farwaidd. "Mae Mered yma, 'tydi?" gofynnodd Mari. "Mae'i enw fo i lawr i wneud eitem i *Pnawn Da*."

"Dw i heb ei weld o, rhaid i mi gyfadde," meddai Sion Aled.

"Eric, be amdanat ti? Mae'n rhaid dy fod ti wedi siarad efo fo…" Trodd Mari at y cynhyrchydd.

"Wel, na, dw i ddim wedi'i weld o heddiw…"

"Ond mae'i enw fo ar y *running order*."

"Wel, dw i'n cymryd ei fod o'n dod yn ôl yma."

"O Eric, ti'n gwybod na fedri di drystio Mered i wneud dim byd!" Roedd hanner gwên ar wyneb Eluned Ogwr wrth iddi glochdar o'r cefn.

Aeth Eric yn wyn. Dechreuodd droi a throi ei fodrwy aur yn drwsgwl rownd ei fys canol. "Efo stori fawr fel hon, rhyw feddwl roeddwn i y basa fo'n siŵr o fod yma… basa fo isho bod yn ei chanol hi felly…"

"Ar ei chefn hi mae Mered yn licio bod, myn uffar i, ddim yn ei chanol hi," meddai Mari.

Edrychodd Eluned Ogwr yn smyg. "Felly pwy sy'n mynd i wneud y stori i ti, Eric?"

"Y stori... o ia, Pico Parry, wel... dwn i ddim yn iawn... dw i'n siŵr y daw Mered yn ôl mewn pryd... Eluned, fasat ti'n licio mynd allan i holi rhai o'i gymdogion o, fel *stand-by* rhag ofn na ddaw o ddim?

Doedd Eluned Ogwr ddim yn ddynes dal, ond fe ddefnyddiodd bob modfedd a oedd yn eiddo iddi wrth frasgamu ar draws y swyddfa. "Wna i ddim o'r fath beth. Fe gefaist ti gyfle i gael eitem ddeche gen i yn y cyfarfod ddwyawr yn ôl. Pe baet ti wedi gwneud dy feddwl lan bryd 'ny fydden i wedi gallu trefnu rhywbeth. Ond gan mai troseddwyr ifanc oeddet ti moyn, troseddwyr ifanc ti'n mynd i'w cael!" Gyda hynny hyrddiodd dâp ar ddesg Eric nes ei fod yn bownsio cyn rhuthro allan a'i hwyneb fel taran.

Edrychodd y cynhyrchydd fel pe bai ar fin crio.

Brathodd Mari ei gwefus rhag iddi chwerthin.

"Sgiws mi, Eric, fasach chi'n licio i mi fynd i holi rhai o gymdogion Pico Parry?" Roedd y cyw gohebydd wedi gweld ei gyfle. Prin flwyddyn oedd yna ers i Sion Aled adael y coleg, ac ar ôl misoedd o achosion llys, damweiniau ffordd, cathod yn cael eu hachub o ben coed a daeargwn o dyllau cwningod roedd o bron â thorri ei fol eisiau sgŵp.

Edrychodd Eric yn syfrdan. "Ei di... i wneud eitem... am Pico?"

Nodiodd Sion Aled yn eiddgar, a phefriai'r ploryn ar flaen ei drwyn.

"Wyt ti'n nabod y bobol yma?"

"Na, ond mae gen i radd mewn gwleidyddiaeth. Tw wan o Aberystwyth."

Sylweddolai Eric mai dyma'i unig gyfle i achub ei groen ei hun. Heb eitem am y gwleidydd, mi fyddai 'na gwyno, ac wedyn mi fyddai ganddo fo, Eric Huws-Lewis, goblyn o dwll i grafu ei ffordd allan ohono.

* * *

Ding dong. Cnoc cnoc cnoc. Ugain munud yn ddiweddarach roedd Sion Aled yng nghanol un o strydoedd crand Cyncoed, yn gwneud ei orau glas i gael cyfweliad efo unrhyw un oedd yn nabod y gwleidydd. Cnoc cnoc cnoc. Ding dong. Ding dong.

"Sgiws mi plis. Sion Aled ydw i o orsaf radio Gwifrau Gwalia. Jest meddwl roeddwn i y basach chi'n licio dweud gair neu ddau am..."

"*Sorry, nobody speaks Welsh in this house.*"

"Gwifrau Gwalia? *No, I don't listen to that so I don't want to say anything on it, thank you.*"

"*Look, this is a quiet and respectable area and we want it to remain so, so get off the premises before I send my dogs after you!*"

"Odw, wrth gwrs wi'n siarad Cymraeg! 'Smo chi'n gwybod pwy ydw i? Janet Gwenhwyfar Solomon-Jones, prif delynores Cerddorfa Philharmonig Caerdydd. Odw, wi'n nabod John Pritchard Parry – Pico ma' fe'n galw'i hunan yn gyhoeddus, ife? Tipyn o sioc pan ddaeth e i fyw yn y stryd hon 'da'i gariad, ond ma'n nhw'n gwpwl neis iawn hyd y gwela i. Tawel, pan ma'n nhw mas o lygaid y cyhoedd. Wi'n synnu'n ofnadwy ei fod e 'di diflannu..."

"Fasach chi'n fodlon gwneud cyfweliad byr iawn ar gyfer Gwifrau Gwalia?"

"O na, amhosibl! So ddi'n talu i berson cyhoeddus fel

fi i wneud datganiadau ar orsaf radio fach geiniog a dime fel Gwifrau Gwalia! Roeddwn i'n arfer gweithio i'r BBC yn Llundain, wyddoch chi. Rhaglenni cerddorol. Chi'n gweithio gydag Eluned Ogwr 'ych chi? Wi'n synnu ei bod hi wedi stico gyda Gwifrau Gwalia mor hir. Mae Eluned yn hen ffrind i mi. Cofiwch fi ati. Gwdbei nawr."

Erbyn iddo gyrraedd pen y ffordd roedd Sion Aled wedi torri'i galon. Deg ar hugain o dai, neb gartref mewn deunaw ohonyn nhw, trigolion deg arall ddim yn siarad Cymraeg, a'r Cymry a atebodd y drws yn y ddau dŷ oedd ar ôl yn amharod i helpu. Roedd y tâp yn dal yn lân yn y peiriant recordio. Dim ond un peth oedd amdani. Anadlodd yn ddwfn, crafu'i bloryn a martsio'n benderfynol at dŷ y dyn ei hun.

Ding dong, ding dong. Cnoc cnoc cnoc. Dim ateb, wrth gwrs. Ding dong arall i wneud yn siŵr. Dim sôn am neb o hyd. Symudodd oddi wrth y drws i sbecian trwy'r ffenest ffrynt. Clamp o stafell fawr, foethus; carped a chyrtans pinc tywyll, dwy soffa ledr wen, bwrdd coffi derw heb ddim arno, ar wahân i gopi o *Gay Times*. Doedd dim arwydd bod dim byd anarferol ynglŷn â'r lle, yn sicr dim byd a oedd yn werth ei ddweud wrth y genedl. Gadawodd y ffenest a sleifio heibio i dalcen y tŷ. Roedd gardd enfawr yn y cefn, y lawnt wedi ei thorri'n daclus, a bordor o ddaffodils gwyn yn tyfu mewn rhesi fel soldiwrs o'i chwmpas. Ger y drws cefn roedd patio efo bwrdd a chadeiriau haearn. Lle da i gael barbyciws a hobnobian efo pobol fawr. Edrychodd Sion drwy ffenest y gegin. Stafell fawr arall, bwrdd trwm yn y canol, nifer o gypyrddau a rhesel win efo degau o boteli'n gorwedd arni. Digon tebyg i gannoedd o geginau eraill dosbarth canol yn y brifddinas. Ymgripiodd tua'r drws cefn a dechrau troi'r nobyn. Yn sydyn, teimlodd law ar ei ysgwydd.

"Be 'dach chi'n 'feddwl 'dach chi'n ei wneud yma?"

Pico Parry? Trodd y gohebydd ifanc i wynebu clamp o blismon.

"Ydach chi'n mynd i'n ateb i? Be ydach chi'n dda yn fan hyn?"

"O... y... Sion Aled, gohebydd i Gwifrau Gwalia ydw i. Jest meddwl y baswn i'n cael sgowt o gwmpas y lle 'ma, 'te."

"Ydach chi'n gwybod eich bod chi'n tresbasio ar dir preifat?"

"Tresbasu... wel... y... nacdw... wel, doeddwn i ddim yn sylweddoli..."

"Be, ddim yn sylweddoli bod torri i mewn i dŷ rhywun arall yn drosedd Mr... Mr..."

"Mr Aled. Sion Aled."

"Wel, Mr Aled?"

"Nid torri i mewn yr oeddwn i, wir i chi, dim ond edrych o gwmpas. Doeddwn i ddim yn bwriadu gwneud drwg, dw i'n addo!"

"Ddim torri i mewn ydach chi'n galw trio agor drws tŷ rhywun arall heb ganiatâd, naci Mr Aled? Efallai y byddai'r perchennog yn anghytuno..."

"Doeddwn i ddim yn bwriadu dwyn dim byd, dim ond cael golwg o gwmpas y lle."

"Dw i'n meddwl y byddai'n well i chi ddod efo fi i'r stesion, Mr Aled."

"I'r stesion... ond pam? Doeddwn i ddim yn gwneud unrhyw niwed."

"I'r car, Mr Aled."

"Ond fedra i ddim. Mae'n rhaid i mi fod yn y stiwdio erbyn chwech o'r gloch ar gyfer *Pnawn Da Gwalia*!"

"Mr Aled, dw i'n eich arestio chi. Tresbasio ar dir preifat, *attempted breaking and entering*, ac os na fyddwch chi'n ofalus *resistance of arrest* hefyd. Rŵan ydach chi am ddod efo fi'n ddistaw neu oes raid i mi'ch handcyffio chi?"

* * *

"Iesu Grist o'r nef, lle mae'r hogyn 'na?" meddai Mari. "Mae hi'n chwarter i chwech, a does 'na ddim sôn amdano fo. Wyt ti wedi cael gair efo fo, Eric?"

"Gair efo pwy, rŵan?" meddai Eric.

"Wel, Arglwydd mawr, efo Sion yndê. Fo sy'n gwneud y brif eitem i fod, ac mae o wedi diflannu rŵan. Ella y bydda inna'n troi'n gwmwl o fwg yn ystod y rhaglen hefyd. Mae'n edrych fel tasa na *bug* wedi taro Caerdydd."

"O, Sion, ia siŵr iawn – tydi o byth wedi dod yn ôl, nac 'di? Falla y dylet ti roi ring iddo fo ar y mobeil."

"Does gan Sion ddim mobeil. Oni bai dy fod ti wedi rhoi benthyg dy un di iddo fo."

"O… y… na… fydda i byth yn trystio neb arall efo'r mobeil – jest rhag ofn."

"Wel blydi hel, 'dan ni yn y cach felly yn tydan? Dim Sion Aled, dim Mered, dim Michael Owen, oni bai dy fod ti wedi cael gafael arno fo."

"Na, dim sôn am hwnnw, chwaith. Dw i wedi gadael neges efo'i ysgrifenyddes o, ond roedd hi'n dweud ei fod o'n brysur mewn pwyllgor."

"Ydi'r pwyllgor yn debygol o ddod i ben cyn chwech? Neu a ddylwn i sgrapio'i enw fo o'r *running order*?"

"Wel, dal i ddisgwyl clywed rhywbeth rydw i. Ti'n gwybod sut mae'r petha 'ma'n mynd ymlaen ac ymlaen.

Gad o i mewn am y tro," meddai Eric.

"Wyt ti'n sylweddoli, heb Sion Aled, na Mered, na Michael Owen, dy fod ti saith munud yn brin?"

"O diar, ydw i? Ffonia'r gogledd rhag ofn bod ganddyn nhw rywbeth i'w gynnig. Brysia!"

"Eric bach, chwarter awr sydd i fynd tan y rhaglen. Tydyn nhw ddim yn mynd i fedru gwneud eitem fel tynnu cwningen allan o het!"

"Dam. Lle mae'r hogyn 'na?" meddai Eric fel pe bai'n dechrau sylweddoli difrifoldeb y sefyllfa. Ar hynny canodd y ffôn.

"Mari... Mari... Sion sy 'ma."

"Sion...lle wyt ti?"

"Yn y cop shop ynghanol Caerdydd."

"Y cop shop? Be ti'n da yn fan'no? Oes gen ti eitem i ni?"

"Nac oes. Gwranda, Mari. Rhaid i rywun ddod yma'n syth i 'nghael i allan."

"Dy gael di allan? I be? Be wyt ti wedi'i wneud... ti 'rioed...?"

"Ydw, Mari. Dw i wedi cael fy arestio."

"Iesu bach, be nesa...be wnest ti?"

"Dim, jest bod y cops yn meddwl 'mod i'n trio torri i mewn i dŷ Pico Parry."

"Ti'n fwy o goc oen nag roeddwn i yn 'feddwl hyd yn oed!"

"Doeddwn i'n gwneud dim byd, wir i ti, Mar!"

"Sbia, Sion, fedra i na neb arall ddod atat ti rŵan...'dan ni ar yr awyr mewn deg munud. Eric, mae Sion wedi cael ei arestio!"

"Sion – lle mae o?"

"Yn cop shop dre."

"O fan'no mae o'n siarad rŵan?"

"Ie.

"Wel cadwa fo ar y ffôn, mi geith wneud tw-we i ni oddi yno."

"Tw-we? Cyfweliad 'ti'n 'feddwl? Ond ddim yno fel gohebydd y mae o. Mae o wedi cael ei arestio.

"Dim ots. Mae'n siŵr ei fod o'n gwybod y diweddara, yn tydi? Peth arall, fydd hi'n fwy *exciting* o lawer siarad efo fo o swyddfa'r heddlu."

Trodd Mari i siarad efo Sion Aled eto. "Sion, mae Eric isho i ti wneud tw-we o'r cop shop."

"Tw-we? Am be?"

"Wel, deud be oedd gan gymdogion Pico i'w ddweud wrthat ti. Deud oedd 'na unrhyw beth anarferol ynglŷn â'i dŷ. A lle mae'r heddlu arni, faint nes ydyn nhw at gael hyd iddo fo." Clywodd Mari rhyw fwmian ar ben arall y lein wrth i Sion ymbil ar y plismon a oedd yn gofalu amdano am gael defnyddio'r ffôn.

"Ol reit. Ond chawn ni ddim bod yn hir. Ffoniwch fi'n ôl pan 'dach chi'n barod. Ow, mae 'mhlorod i'n cosi!"

* * *

Ding-a-ling-ding-dong-ding-dong-ding!

"Pnawn da, Gwalia, mae'n chwech o'r gloch. Wilias a'r criw sydd yma. Efo chi tan saith o'r gloch efo'r newyddion diweddara am Gymru a gweddill y byd. Y penawdau heno. Plismyn yn dal i chwilio am Pico Parry, y gwleidydd sydd ar goll o'i gartre yng Nghaerdydd. Y boi yma 'di cael llond bol ar bolitics yn barod, mae'n amlwg, yr hen greadur. Mi gawn ni adroddiad llawn yn y man o brif swyddfa'r heddlu yma yn y brifddinas."

Edrychodd Sion Aled yn bryderus ar ei oriawr. Sbonciodd y bys eiliad o gwmpas yr wyneb. Doedd dim sôn am y ffôn yn canu.

"O, plis, gadwch i mi ffonio'r swyddfa," meddai.

"Arhosa di lle'r wyt ti," meddai'r plismon, nad oedd yn siŵr a ddylai gredu bod Sion yn ohebydd ai peidio. Ta beth, doedd newyddiadurwyr yn ddim byd ond niwsans, yn ei farn o, a doedden nhw ddim yn haeddu gormod o help.

"Dim ond yr un alwad yma," crefodd Sion. "Ar ôl hynny fe gewch chi wneud be fynnoch chi efo fi..."

Edrychodd y plismon yn hurt arno. Yr unig beth a fynnai ei wneud â'r cynrhonyn bach twp oedd cael gwared ohono.

Dawnsiodd y bys eiliad o gwmpas wyneb y watsh eto. O nefi blw pinc, mi fyddai Wilias wedi gorffen ei benawdau erbyn hyn... o bobol bach... Ar y gair, canodd y ffôn.

Gadawodd y plismon iddo ganu bedair neu bump o weithiau cyn ei ateb yn bwyllog. *"Sion Aled, who's he? Oh, that jittering idiot sitting in the corner... so he is a reporter then? I thought he was just a schoolboy prankster. Yes, I'll hand you over to him now..."*

"Mi awn ni'n syth drosodd i brif orsaf yr heddlu yng Nghaerdydd, lle mae ein gohebydd ni, Sion Aled, ar hyn o bryd," oedd yr unig gyflwyniad a glywodd Sion. Tynnwyd ei sylw am ennyd gan blismones benfelen yn dod â phlatiad mawr o tships i'r copyn a oedd yn ei warchod. Ew, rhai o'r rheina fasa'n dda rŵan, meddyliodd. Yna cofiodd am ei blorod, ac yn bwysicach am yr orchwyl oedd o'i flaen.

"Pnawn da, Wilias," meddai'n egnïol. "Ydw, dw i wedi

dod yma i orsaf yr heddlu wrth i minnau wneud fy rhan i drio dod o hyd i Pico Parry."

"A lle maen nhw arni ar hyn o bryd?" gofynnodd Wilias.

"Mae'r heddlu wedi amgylchynu tŷ'r gwleidydd yn llwyr." Penderfynodd Sion ddweud celwydd am nad oedd, hyd y gwyddai o, unrhyw ohebwyr eraill o gwmpas y lle i'w groes-ddweud. "Does neb o'r cyhoedd yn gallu mynd at y tŷ o gwbl, ond mi fues i'n ddigon ffodus i gael mynd i'r ardd gefn, i gael golwg ar yr hyn y gallai Pico Parry ei hun fod wedi'i weld cyn diflannu.

"Oedd ganddo fo dŷ neis, Sion?" gofynnodd Wilias.

"Wel…" doedd Sion Aled, efo'i radd mewn gwleidyddiaeth, ddim yn disgwyl cwestiwn o'r fath. "Tŷ mawr, moethus, fel y basach chi'n ei ddisgwyl gan ddyn busnes llwyddiannus, ond doedd 'na ddim anhrefn nac unrhyw arwydd bod dim byd o'i le."

"Dim arwydd bod neb wedi gadael ar frys, na dim byd felly?"

Meddyliodd Sion am y pentyrrau dillad, tyweli a photeli Brut a fyddai ar hyd y llawr ym mhob man bob tro y byddai o'n mynd am drip i Iwerddon. Byddai bob amser yn cysylltu mynd i ffwrdd â llanast.

"Dim arwydd ei fod wedi mynd i unlle, heb sôn am adael heb rybudd. Ac mi fues i'n siarad efo rhai o'i gymdogion o hefyd. Mae'n amlwg bod Mr Parry'n berson adnabyddus yn y stryd, ac fel y gwyddoch chi, pethau prin ydi cymdogion sy'n nabod ei gilydd yma yng Nghaerdydd yntê?"

"Ti'n iawn, Sion, hen fyd felly ydi hi. Be oedd ganddyn nhw i'w ddweud?" gofynnodd Wilias.

"Wel, roedden nhw i gyd wedi cael sioc. Mae'n sicr bod yr hyn sydd wedi digwydd yn annisgwyl dros ben.

Mae Mr Parry yn ddyn uchel ei barch yng Nghaerdydd –
fel 'dach chi'n gwybod, mae'r diwydiant teledu yn bwysig
iawn yma ac mae'r ffaith bod ei gwmni o, Venus, yn
gwneud mor dda, yn golygu bod lot o bobol yn gwybod
amdano fo..."

Blydi hel, sut mae Sion yn gwybod hyn i gyd?
meddyliodd Mari.

"... ar ben hynny mae o'n ffigwr gwleidyddol amlwg...
felly mae ei ddiflaniad wedi bod yn sioc i bawb. Mae lot
o'r cymdogion yn amlwg dan deimlad ac wedi ypsetio'n
ofnadwy."

"Wel, diolch, Sion, am ddod â'r adroddiad unigryw
yna i ni o orsaf heddlu ganolog Caerdydd. Mi gawn ni'r
diweddara ganddoch chi, dw i'n siŵr, os bydd 'na rywbeth
newydd i'w ddweud. 'Dach chi'n gwrando ar Gwifrau
Gwalia yn dod â'r newyddion i chi o Gymru a gweddill y
byd. Beth am gael cân fach nesa – dyma Dafydd Iwan –
'Bod Yn Rhydd'."

"Hei, Sion, oeddat ti'n grêt," gwaeddodd Mari ar ben
arall y ffôn.

"That's enough of that," meddai'r plismon efo'i geg yn
llawn o tships. Am ryw reswm roedd o wedi anghofio'i
Gymraeg, ac am atgoffa Sion Aled mai rhyw dipyn o
garcharor oedd o wedi'r cyfan. Heb seremoni cafodd seren
newydd Gwifrau Gwalia ei hel yn ôl i'w gell. Prin yr aeth
hanner awr heibio, fodd bynnag, cyn i Bol Tships ddod
yn ôl efo'r allwedd.

"Guv says you can go, now," meddai.

"O... y... thenciw. Diolch yn fawr," meddai Sion.
Baglodd ei ffordd allan, yn falch o gael profi ei ryddid.
Prin y sylwodd ar yr adyn mwstashlyd mewn siaced ledr
yn y cyntedd.

"Thanks for your help," meddai gan ysgwyd llaw plismon mewn lifrai a chap fflat. *"Bottle of Scotch'll be in the post."*

PENNOD 3

JING-A-LING-DING-DONG-JING-A-LING-LING, bloeddiodd y jingl foreol gan sicrhau bod pwy bynnag oedd wedi syrthio i gysgu yn ystod y bwletin yn deffro eto.

"Dyna'r newyddion, mi awn ni drosodd rŵan at Myfanwy Jenkins i gael cip ar gynnwys y papurau," meddai Maldwyn. Byddai'n rhaid iddo fo godi'n blygeiniol bob bore, i gyflwyno newyddion Gwifrau Gwalia. Ond y bore hwnnw doedd Mered ddim yn cadw cwmni iddo. Roedd o yn hanner cysgu. Roedd wedi cyrraedd y stiwdio am chwech ar ei ben y noson cynt, efo adroddiad swmpus am Pico Parry. Ond roedd y crinc Eric wedi penderfynu'i gadw tan y bore. Am ryw reswm roedd o wedi gofyn i'r cyw melyn gwlanog Sion Aled wneud y brif stori ar *Pnawn Da*. Ta waeth. Roedd hynny'n golygu nad oedd yn rhaid i Mered drafferthu codi'n gynnar, a doedd o ddim yn gwrthwynebu ychydig oriau ychwanegol yn ei wely.

Chwyrnu'n braf yr oedd Sion hefyd. Byddai'n ceisio codi i wrando ar newyddion saith, ond yn anochel yn methu, yn gorwedd yn ei wely drwy gydol bwletin wyth ac yn rhuthro i ymolchi, shefio a smwddio'i grys yn y munudau prin cyn tanio'i Fini Metro rhydlyd a gwneud ei ffordd herciog i'r swyddfa.

"Diolch, Maldwyn," meddai llais melfedaidd Myfanwy Jenkins. Roedd hi'n anochel mai cyfaill i un o staff yr orsaf a fyddai'n adolygu'r papurau. Fel arfer, byddai gofyn i rywun lusgo'i hun i'r stiwdio cyn saith yn mynd yn angof, a dibynnai'r rhaglen yn helaeth ar ffrindiau personol i lenwi bylchau. Ffrind i Eluned Ogwr oedd Ms Jenkins, na fyddai fel arfer yn iselhau ei hun i ddarllen unrhyw bapurau heblaw y trymion.

"Wel, da gweld bod hyd yn oed papurau Lloegr yn arwain gyda stori o Gymru, er mai stori ddigon annymunol yw hi hefyd," meddai. Aeth yn ei blaen i restru penawdau'r *Times* a'r *Telegraph*, yr *Independent* a'r *Guardian* ynghyd â'u sylwadau ar ddiflaniad yr ym-geisydd. Roedd Sion Aled bron â chael ei hudo'n ôl i drwmgwsg gan ei suo. Rhwng cwsg ac effro yr oedd o pan glywodd enw ei orsaf yn cael ei grybwyll. "Ac mae'r orsaf fach hon, Gwifrau Gwalia, yn cael sylw arbennig yn *Y Drych*, fel yr ydym ni'n hoffi galw'r papur yn ein tŷ ni," meddai Myfanwy. "Llun o un o'ch gohebwyr ifanc chi, Sion Aled, yn cael ei lusgo i gar yr heddlu ar ôl cael ei ddal yn tresbasu yng ngardd Mr Pico Parry. *'Trust Me, I'm A Reporter'* yw'r pennawd. Wel, rydyn ni i gyd yn gwybod bod y papurau'n fodlon mynd i ben draw'r byd i gael stori. Mae hyn yn dangos nad ydyn ninnau, ar gyfryngau Cymru fach, mor bell ar ei hôl hi'n nac 'yn ni?"

Dechreuodd Sion Aled chwysu, nes bod y cyfnasau a'r fatres oddi tano'n socian.

* * *

Roedd awyrgylch cyfarfod y bore fel yr Arctic. Dau gymeriad oedd heb gyrraedd y llwyfan: Ellis Wynne, y bòs, a Sion Aled, y prif actor. Doedd neb yn siŵr pa hwyl fyddai ar y naill na'r llall. Chwalwyd yr ansicrwydd pan ddaeth y giaffar i mewn. Am unwaith, nid jest y locsyn bwch gafr du oedd yn gwneud i'w wyneb edrych yn welw.

"Ydi pawb yma?" meddai. Cliriodd pawb eu gyddfau'n bryderus. Edrychodd Ellis o'i gwmpas a gweld bod un wyneb ar goll. "Reit, mi rown ni ddau funud iddo fo."

Ddywedodd neb ddim.

Cynyddodd y tensiwn.

Roedd Sion Aled bron â ffonio'r gwaith i ddweud ei fod yn sâl, ond fedrai o ddim meddwl am unrhyw afiechyd digon difrifol i gael cydymdeimlad. Rhywsut, doedd cwyno bod ei ben yn brifo neu ei blorod yn ei blagio ddim yn mynd i ddal dŵr, ac er ei fod yn cachu brics doedd ganddo ddim cweit y gyts i ffonio HQ i ddweud bod ganddo boen yn ei fol. Ond wrth iddo nesáu at y swyddfa, dechreuodd deimlo'n sâl go iawn. Llamodd ei stumog bob tro yr herciai'r car drwy'r goleuadau traffig. Unwaith, neidiodd y Metro'n gryd-cymalog drwy olau coch, gan achosi corws o bi-i-i-i-i-bs gan gymudwyr blin. Erbyn iddo gyrraedd y gwaith, roedd o'n mygu ar ôl taro pedair rhech a'i geseiliau'n wlyb ddiferol.

"Bore da." Nodiodd ar y môr o lygaid oedd yn syllu arno.

Teimlodd Mari fymryn bach o drueni tuag ato. Astudiodd Mered ei esgidiau'n fanwl er mwyn cuddio'i wên. Ni thrafferthodd Eluned Ogwr i wneud yr ymdrech leiaf i guddio'i boddhad.

"Wel?" meddai Ellis Wynne.

"Yyyyyy... wel be?" meddai Sion.

"Be oedd ar dy ben di'r mwnci gwirion, yn cael dy ddal gan yr heddlu yn TRESBASU yng ngardd Pico Parry?"

"Ond... ond..."

"Rydw i wedi bod yn swyddfa'r rheolwr ers WYTH O'R GLOCH Y BORE yn trio rhoi eglurhad am be wnest ti."

"Iesu, pwy aeth â'r plant i'r ysgol y bore 'ma 'ta?" meddai Mered dan ei wynt wrth Eluned Ogwr.

"Ac yn trio amddiffyn yr holl adran 'ma," gwaeddodd Ellis Wynne gan droi at Mered. Dechreuodd fwrw'i lid unwaith eto ar Sion, a oedd yn crynu fel deilen yn y gornel. "Ti wedi dod â chywilydd ar yr holl adran. Yn waeth na hynny, ar yr holl orsaf," meddai. "Mae enw Gwifrau Gwalia yn fwd! I gyd o'th achos di! Ac os nad oedd cael dy arestio'n ddigon, roedd yn rhaid i ti wneud TW-WE o orsaf yr heddlu yn CYMRYD ARNAT dy fod ti yno ar drywydd stori. Mae hynny'n anfaddeuol! Lle mae'n hygrededd ni rŵan? Pwy sy'n mynd i goelio gair y byddan ni'n ei ddweud o hyn ymlaen?"

"Ond... ond... Eric ofynnodd i mi!"

"Gofyn be?"

"Gofyn i mi wneud tw-we. Ffonio'r swyddfa wnes i i ofyn i rywun ddod i'm nôl i, i drio 'nghael i allan, ac mi ddeudodd Eric wrtha i am wneud cyfweliad o'r stesion."

Chwyrlïodd cadair droi'r Golygydd i wynebu Eric. "Eric?"

Roedd ei wyneb gwelw wedi troi'n lliw tomato. "Wel... jest meddwl roeddwn i mai wedi mynd i orsaf yr heddlu ar ei liwt ei hun yr oedd o. Wyddwn i ddim byd am yr arestio."

"Ond mi ddeudais i..."

"Sion bach, siaradaist ti ddim efo fi o gwbl. Mari gym'rodd yr alwad. Doedd 'na ddim ffordd y gallwn i wybod sut y cyrhaeddaist ti yno."

"Yli, Eric, mi ddeudais i wrthyt ti bod Sion yn y cop shop a'i fod o wedi cael ei arestio." Dechreuodd Mari amddiffyn ei ffrind.

"Ie, ond pa bryd wnest ti ffonio, Sion? Roedd hi bron

yn chwech o'r gloch yn doedd? Chwech o'r gloch a dim syniad gen i oeddet ti wedi llwyddo i gael eitem ai peidio. Rhaid i newyddiadurwr proffesiynol gofio'i dded-leins bob amser. Ei di byth i unlle os wyt ti'n colli dy dded-leins."

"Ond pam oedd hi mor hwyr a thithe'n dal heb gael eitem, Eric?" Dechreuodd Eluned Ogwr styrio. "Taset ti wedi gwneud fel yr awgrymes i i ddechre a gadael i mi fynd i holi cymdogion Pico, fydde dim o hyn wedi digwydd. Fyddet ti wedi cael dy eitem a fydde Gwifrau Gwalia ddim mewn shwd gawlach nawr!"

"Mi wnes i ofyn, ti wrthododd fynd," meddai Eric a'i lygaid yn fflamio.

" 'Drych!" meddai Eluned Ogwr fel teigres. "Wi 'di bod yn y gêm yma ers ugain mlynedd! Wi'n gwybod beth sy'n bosib a be sy'n gwbl anymarferol. Gofynna i mi am eitem ddechre'r pnawn ac fe gei di un. Gofynna am bedwar a ti'n gofyn am drwbwl!"

"Wel be wnawn i? Pedwar o'r gloch a finna heb syniad a fyddai gen i eitem ai peidio. Roedd hi'n well anfon unrhyw un allan na neb yn doedd? O leia' mi lenwodd o dri munud…"

"Llenwi tri munud! Llenwi tri munud! 'Na'r cwbl sydd ar dy feddwl di yntê? Llenwi tri munud, wir! Beth sy 'di digwydd i'r gair 'safon'?" Roedd Eluned wedi mynd i hwyl.

"Mi gefaist ti gyfle i gael safon, Eric." Saethodd Mered ei bicell efo crechwen ar ei wyneb. "Roeddwn i yn y stiwdio am chwech efo eitem yn barod ar dy gyfer di. Ond oeddet ti ei heisiau hi? Na. Roedd yn well gen ti dw-we o swyddfa'r heddlu efo'r cyw riportar!"

"Be! Tw-we efo cyw riportar wedi'i restio pan oedd eitem gan y Prif Ohebydd Gwleidyddol ar gael?" sgrechiodd Ellis Wynne. Ofer fu ymdrech Eric i fwmian bod angen cadw rhywbeth ar gyfer y bore. "Mi alwa i gyfarfod arall pan mae pawb yma wedi callio!" meddai'r bòs. "Allan â chi y diawled! Allan!" A rhuthrodd pob un o'r swyddfa wydr i heddwch cymharol y stafell newyddion.

Doedd gan neb fawr o ddewis ond byhafio am weddill y bore. Mewn gwirionedd, dim ond Sion Aled oedd yn ofni Ellis Wynne, ond byddai hyd yn oed Mered yn rhyw hanner moesymgrymu i Huw Elfed Hughes, y Rheolwr. Nid bod ganddo fawr o barch i'w allu na'i farn olygyddol, ond yn y pen draw fo oedd ceidwad y llyfr siec, ac roedd hynny'n cyfri lot. Roedd teuluoedd Huw Elfed Hughes ac Eluned Ogwr yn hen ffrindiau wrth gwrs, a byddai'r dyn pwysig yn cael ei wahodd yn gyson i'w thŷ hi am sieri. Ta waeth, doedd ganddi ddim achos i gwyno'r diwrnod hwnnw – hi oedd i ddilyn y brif stori, ar ôl i Mered wanglo cael ei anfon i Lundain, i gael sgwrs efo'r Ysgrifennydd Gwladol ynglŷn â thynged un o ymgeiswyr mwyaf addawol ei blaid. Ond roedd Sion Aled druan â'i ben yn ei blu. Cafodd ei orfodi i eistedd ar ei ben ei hun mewn cornel efo copi o'r gyfrol ddiflas *Essential Producer Guidelines* i ddysgu sut i fod yn newyddiadurwr moesol. Pan awgrymodd Mari roi copi i Eric hefyd edrychodd hwnnw'n syn a dweud ei fod eisoes wedi ei ddarllen yn 1969, thenciw feri mytsh. Edrychodd Mari ar du mewn y clawr a oedd yn honni mai yn 1991 y cyhoeddwyd y llyfr am y tro cyntaf, a gofyn iddi hi ei hun ai arni hi, ar y cyhoeddwyr, ynteu ar Eric yr oedd colled.

* * *

Roedd Mered ar ben ei ddigon wrth i'r trên dynnu allan o steshion Caerdydd tua Llundain. Nid cymaint am fod yr

Ysgrifennydd Gwladol wedi cytuno i siarad â fo ag oherwydd ei fod wedi ffeindio'r esgus perffaith i ddiflannu o'r swyddfa am ddiwrnod. Fyddai neb yn disgwyl iddo ddod yn ôl yn fuan. Felly roedd o wedi bwcio noson yn y Caernarvon – un o westai rhataf a lleiaf crand ardal Victoria.

"Any teas, coffees, drinks or snacks?" galwodd y ferch oedd yn gwthio troli drwy goridor sigledig y tren.

"I'll have a gin and tonic and a packet of dry roasted peanuts, please," meddai ac eistedd yn ôl i fwynhau.

"Croeso i Westminster, cyfaill." Daeth Michael Owen i ddrws Tŷ'r Cyffredin i gwrdd â fo.

"Siawns mai dyna fydd y tro diwetha i ti ddeud hynna wrtha i," meddai Mered.

"Ie, gobeithio, os ca i sêt yn y Cynulliad," meddai'r Ysgrifennydd Gwladol efo winc. Efo mwyafrif o ugain mil, pe bai o'n methu cael sedd byddai'r Wyddfa'n troi'n gaws. "Nawr, lle ti am gwneud yr *interview* 'ma?"

Doedd gan newyddiadurwyr ddim hawl mynd â chamerâu na pheiriannau recordio i'r rhwydwaith o goridorau a stafelloedd cefn yn y senedd, felly penderfynodd Mered wneud y cyfweliad yn y parc gerllaw. Dechreuodd yn rhwysgfawr a phwyllog.

"Michael Owen, Ysgrifennydd Cymru, oes ganddoch chi unrhyw syniad be sy wedi digwydd i'ch ymgeisydd, Pico Parry?"

Roedd atebion y gwleidydd yn alluog ofalus. Na, doedd ganddo fo ddim syniad lle roedd Pico. Roedd ei ddiflaniad yn gymaint o fraw iddo fo ag i unrhyw un arall.

"Faint o broblemau mae hyn yn eu hachosi i'r blaid, ar adeg mor dyngedfennol cyn yr etholiad?"

"Mae e'n problem mawr, wrth gwrs. Dim ond chwech

wythnos sydd 'na tan yr etholiad, a ni ddim moyn bod heb *candidate* ar gyfer etholaeth mor pwysig â Canol Dinas Caerdydd. Ond ni ddim yn credu bod lle i poeni. Mae Pico Parry wedi bod yn cwbl *dependable* erioed a does dim lle i credu y bydd e'n gadael y Blaid Lafur na pobol Caerdydd i lawr nawr."

"Ond, gyda'r amser mor brin nes yr etholiad, oes gan y blaid unrhyw gynlluniau wrth gefn rhag ofn na fydd yr ymgeisydd yn ailymddangos?"

"Mater i'r plaid yn yr etholaeth yw hynny, wrth gwrs. Y nhw sydd i ddewis os ydyn nhw am galw ar ymgeisydd arall ai peidio. Os yw hynny'n digwydd mae gan y Plaid Lafur nifer o ddarpar ymgeiswyr galluog a dda dros ben, wnaeth ddim cael eu dewis i sefyll y tro yma, ond sydd siŵr o fod â gyrfa gwleidyddol disglair iawn o'u blaenau..."

Aeth y cyfweliad yn ei flaen yn ddigon boddhaol.

"Diolch yn fawr i ti, Meic," meddai Mered, gan wrando'n ôl ar y tâp i sicrhau bod y sgwrs wedi cael ei recordio.

"Dim problem bachgen. Unrhyw amser," meddai'r Ysgrifennydd Gwladol gan roi slap ar ei gefn. "Oes rhaid i ti brysio'n ôl? Beth am peint fach yn bar y Tŷ yn nes ymlaen? Tyrd at y drws erbyn saith. Fe wnaiff ysgrifen-yddes fi ddod i moyn ti."

Grêt, meddyliodd Mered. Peint neu ddau efo'r pen bandit. Cyfle i gael tipyn o *gossip* gwleidyddol. Chwiban-odd yn braf wrth ddal y tiwb i stiwdio London Wired, gorsaf radio yr oedd gan Gwifrau Gwalia gysylltiadau â hi, er mwyn golygu ac anfon ei dâp i lawr y lein i Gaerdydd.

Am bum munud union wedi saith, roedd o yn y

Strangers' Bar yn Nhŷ'r Cyffredin, a pheint o Boddingtons yn ei law a phedwar aelod seneddol ynghyd â merch fach ddel yn cadw cwmni iddo.

"Meredydd Hughes? Fi yw Alison, ysgrifenyddes Michael Owen." Roedd acen un o Ysgolion Cymraeg y Cymoedd yn drwch ar ei gwefusau wrth i'r ferch ei gyfarch ger y porth urddasol rai munudau ynghynt cyn ei hebrwng heibio i'r plismyn a'r swyddogion diogelwch i gynteddau sanctaidd y Senedd. "Mae Mr Owen yn ddweud, ma' fe'n *sorry* fe ddim yn gallu cwrdd â chi'n syth, ma' fe mewn cyfarfod. Ond gwnaiff e gweld chi nes mla'n. *Anyway*, ma' lot o pobol eraill yn y Strangers' Bar. Wi'n siŵr y cewch chi amser ddifyr yno."

Roedd Mered wedi ei dilyn i'r bar yn ddigon bodlon. Roedd hi'n bleser mynd i'r bar hwnnw unrhyw bryd, yn enwedig yng nghwmni geneth ddel. Bar ar gyfer aelodau seneddol a'u gwesteion yn unig oedd o, ac efo'r cwrw'n rhad roedd yn lle delfrydol i feithrin contacts.

"Ed!" Amneidiodd y ferch at ddyn bach moel mewn siwt frethyn rhy fawr iddo, a edrychai fel pe bai'n deillio'n ôl i ymgyrch ddatganoli 1979. Roedd y siwt wedi newid ei lliw a'i pherchennog wedi newid ei ochr ers hynny.

"Ed, sign us in, will you? This is Meredydd Hughes, chief political correspondent for Gwifrau... Gwifrau beth, Meredydd?

"Gwifrau Gwalia – yr orsaf annibynnol Gymraeg genedlaethol."

"Wel, croeso i Llundain, byt. *The likes of you won't be 'ere very often from now on, what with the new Assembly an' all...* Bydd pawb yn aros yng Nghaerdydd!"

"Mi awn ni lle mae'r stori. Caerdydd, Llundain neu Timbactŵ," meddai Mered.

"That's right, boy. There's a true hack for you," meddai'r aelod seneddol. *"Used to be a journalist myself – what you call it in Welsh, a* newyddiadur *is it? Used to work on the Western Mail, many moons ago. What you drinking, butt?"*

Ymhen ychydig roedd Mered yn ddwfn yng nghyfrinach y gwleidyddion, a'r cyfrinachau'n mynd yn fwy anhygoel wrth i'r cwrw lifo.

"Be ydach chi'n 'feddwl sy wedi digwydd i Pico, 'ta?" gofynnodd i Wyn a Stan, dau braidd yn wyllt yr olwg a oedd yn edrych fel pe bydden nhw'n fwy cartrefol mewn clwb rygbi gwledig nag ym mherfedd Llundain.

"Pico Parry ti'n 'feddwl? Y *creep* yna? Gobeithio na ddaw o byth yn ôl, ddeuda i."

"Ie, 'smo'i deip e'n gwneud dim lles i ni. *New Labour scumbag.* Mae e mwy i'r *right* na Genghis Khan, myn yffarn i. 'Sda fe ddim cliw ymbiti'r byd go iawn, dim ond y ffycing crachach o Gaerdydd ma' fe'n cymysgu 'da nhw."

"A fasa fo ddim lle mae o oni bai ei fod o'n ffycing pwff. *Equal opportunities policy* Llafur Newydd. Isho dangos ei bod hi'n *right on* i sticio dy goc i fyny tin dyn arall!"

"Ie, paredo'r *failed actor* 'na sy 'da fe gyda fe ymhob man. Does ryfedd bod hwnnw'n methu cael partie. Pwy yffarn sy ishe rhoi rhan i fenyw gyda barf. Ta beth, jest ffrynt yw e 'fyd."

"Be ti'n 'feddwl?" tyrchodd Mered.

"Wel, tipyn o *convenience* 'te. Be ma'n nhw'n galw fe dyddie hyn – *serial monogamy*. Tase Pico Parry ond yn lico dynion mewn oed fydden i'n gweud dim. Ond na!" Gostyngodd y gwleidydd ei lais yn felodramataidd.

"Be... tydi o 'rioed...!"

"Bechgyn bach! Dyna be ma' fe'n lico! Fydde'r un crwt

ysgol gynradd yn saff 'da fe!"

Chwalwyd y sgwrs wrth i Alison ddychwelyd. Roedd wedi diflannu beth amser ynghynt ar ôl un ddiod.

"Meredydd, mae'n ddrwg iawn 'da Mr Owen mae e wedi cael ei ddal lan mor hir. Bydd e'n methu dod i'r bar, ond mae e'n gofyn hoffech chi gael cinio gyda fe yn Shepherds am hanner awr wedi naw?"

"Shepherds?" meddai Mered yn syn.

"Ie, ma' fe jest rownd y cornel. Os ma' fe'n iawn gyda chi, 'na i ffono nhw i bwcio bwrdd nawr."

"Iawn, Shepherds amdani," mwydrodd Mered.

"Ti mewn 'da'r *guv* fan'na," meddai Stan, yr hynaf o'r *thugs* rygbi.

"*Too bloody right*. Fyddi di'n cael cynnig job fel PR iddo fo nesa," meddai Wyn. "Gofala dy fod ti'n ordro'r peth drytaf ar y fwydlen. Gynnon ni amser am un bach arall cyn i ti fynd yn does – beth am fynd i'r Royal Oak?"

Cychwynnodd y ddau allan, a Mered ar drot ar eu hôl.

"*Two pints of bitter with whisky chasers*. 'Run peth i ti, Mered? *Make that three*," meddai Stan wrth y barman.

Aeth y noson heibio'n ddifyr, a Mered yn ei elfen yn mwynhau sgwrs fasweddus yr aelodau seneddol. Roedd Wyn yn rhyw hanner nabod Heledd Haf – roedd hi wedi ei magu yn ei etholaeth ac wedi bod yn canfasio drosto flynyddoedd yn ôl, pan oedd o newydd symud i lawr o'r Rhyl i ymgeisio am y tro cyntaf. Roedd hynny cyn iddi fynd i'r coleg a throi at Blaid Cymru, meddai, gan duchan yn ddirmygus.

"Mae gen ti gof da ofnadwy, os ti'n cofio rhywun fuodd yn canfasio drostat ti fwy na deng mlynedd yn ôl," meddai Mered.

"O, gefais i dipyn o hwyl efo Heledd," meddai'r

gwleidydd. "Oedd y wraig acw'n disgwyl ar y pryd, a doedd hi ddim isho'n nabod i yn y gwely, felly mi wnaeth Heledd damaid bach go handi!"

"Ffycing hel! Heledd Haf?" Tagodd Mered ar ei gwrw. "Oeddwn i'n meddwl bod ei nicyrs hi wedi eu smentio amdani! Blydi hel, pwy fyddai wedi dychmygu? Mae hyn yn galw am ddiod arall. *Hey, barman! Three more whiskies please. Make them large ones!*"

Yfodd y tri yn ddiwyd am dipyn.

"Hei boish, bydd yn rhaid i mi fynd. Dw i fod i gyfarfod Michael Owen mewn deg munud. Ydach chi'n gwybod y ffordd i Shepherds?" gofynnodd Mered.

"Mered, man! 'Sdim ishe ti bod ar hast. Bydd e dim 'na 'to!" atebodd Stan.

"Duwch, na, amser am un bach arall. Biti sbwylio'r hwyl rŵan," meddai Wyn.

"Ond dw i angen ffeindio'r reshtront 'ma," slyriodd Mered yn bryderus.

"*No worries, man,* down ni 'da ti. Bydd cael tacsi'n rhwydd. *Give us three more large whiskies,*" gwaeddodd Stan ar y barman.

Roedd pen Mered yn troi erbyn iddo faglu allan i'r stryd. Doedd o hyd yn oed, ac roedd o'n dipyn o yfwr, ddim yn gallu dal i fyny efo'r ddau yma. "Dw i'n tynnu'n het i chi. Dw i wir yn impreshd efo'r ffordd 'dach chi'n 'u taflu nhw'n ôl," meddai.

" 'Smo fe'n problem, man, ni'n cael digon o practis, yn d'yn ni, Wyn?" meddai Stan.

"Be arall wnawn ni, yma yn Llundain ar ein pen ein hunain?" chwarddodd hen gariad Heledd Haf.

Camodd Mered rhyngddyn nhw a rhoi ei freichiau am ysgwyddau'r ddau. "Dw i wir yn falch 'mod i wedi dod i'ch nabod chi. Oeddwn i'n meddwl mai jest *back-benchers* bach boring oeddech chi. Doedd gen i ddim syniad eich bod chi'n gymaint o hwyl!"

"O, ti'n gallu dependo arnon ni am hwyl," meddai Stan. "Nawr ein job nesa ni yw ffeindio tacsi. *Taxi!*" Dechreuodd chwifio'i law fel melin wynt ar bob car oedd yn mynd heibio.

Erbyn iddyn nhw gyrraedd Shepherds roedd hi wedi troi deg, a'r Ysgrifennydd Gwladol ac Alison eisoes wrth y bwrdd yn edrych yn reit flin. Wnaeth gweld Wyn a Stan yn dod i mewn efo Mered ddim gwella'r sefyllfa.

"Oes 'na le i ddau fach?" holodd Wyn ac ogla whisgi'n taro'r stafell wrth iddo siarad.

"Wel, bwcio bwrdd i tri wnes i," meddai Alison.

" 'Drych, bach, fyddi di'n falch o gael dy weld 'da ni pan fydd y ddau ohonon ni'n *prime ministers*," meddai Stan gan roi ei law ar ei hysgwydd. Gwthiodd Alison hi i ffwrdd yn sarrug.

"*Look, boys, you can stay as long as you don't cause any trouble,*" meddai Michael Owen yn swta. "*Waiter, can you bring two more chairs to this table?* Wyt ti moyn gwin, Mered? Coch neu gwyn?"

"Coch plish," meddai Mered, a fyddai wedi yfed wermod yn ddigon hapus.

"*A bottle of your Chilean Cabernet Sauvignon, and one of mineral water,*" meddai'r Ysgrifennydd Gwladol wrth y gweinydd.

"*Make that two, man. We'll need at least two bottles of red,*" gwaeddodd Stan.

Astudiodd Mered y fwydlen yn ofalus. Ew, roedd y lle 'ma'n gwneud pethau crand – efo prisiau i fatsho. Tybed a ddylai gymryd y *pan fried Thai crab cakes with coriander* ynteu'r *Norwegian smoked salmon* i ddechrau? A'r *beef olive*, y *rack of lamb in redcurrant jelly* neu'r *duck à l'orange* i ddilyn?

Torrwyd ar ei fyfyrdodau gan yr Ysgrifennydd Gwladol. "Rwy'n recomendo'r cig oen. Ma' fe'n ardderchog yma. Gwneud i fi meddwl am Cymru."

Y cig oen amdani, 'ta, meddyliodd Mered. Ond roedd gan ei gyfeillion syniadau gwahanol.

"*Got anything with chips, man,*" gofynnodd Stan.

"*No sir. We serve sautée and new potatoes.*"

"*But you got to 'ave chips, man. You get chips everywhere!*"

"*Not at this restaurant, sir.*"

"*Pie and chips, that's what I'll have.*"

"*Old English steak and ale pie, sir? With sautée potatoes and a selection of vegetables.*"

"*Look, I want chips and I'm bloody 'aving chips!*"

"*Stan, be quiet,*" hisiodd Michael Owen. Trodd i'r Gymraeg yn sydyn. "Os na byddi di'n byhafio bydd y *manager* yn dod i cicio ti mas, a bydda i ddim yn stopio fe. *Sautée potatoes will be fine,*" meddai'n bendant.

"Uffarn o beth, 'te, dod i un o *restaurants* poshaf Llundain a maen nhw'n cau rhoi be wyt ti isho i ti," meddai Wyn.

"Uffar o reshtront," slyriodd Mered.

"Duw, dw i wedi bod mewn restronts dros y byd, a does neb arall yn eich trin chi fel hyn. *Waiters* yn meddwl bod nhw'n gwybod yn well na chi. Dim ond yn Llundain a Ffrainc gewch chi hynny."

"Blydi Ffrogsh," cytunodd Mered.

"Ie. Blydi Ffrogs. Wi 'di gweud a gweud. Ma' ishe i ni dynnu mas o'r *Common Market*. Blydi mistêc oedd mynd miwn *in the first place. Voted against it in seventy-four, I did,* a wi'n dal yn erbyn fe nawr!"

"Oeddet ti ddim yn MP yn '74, idiot. Fedret ti ddim fotio," meddai Wyn.

"Na, ond oeddwn i'n *member* o *Ogmore Council.* Foties i 'da nhw. Jiw, wi'n cofio'r *speech* roddes i iddyn nhw nawr. *Vote against the Common Market,* medde fi. *Vote against it o'r we'll have no language or culture left in a quarter of a century's time. We'll all be speakin' French by the year 2000.*"

"A gwaeth na hynny, ti 'di ffeindio dy *Welsh* eto erbyn hyn," crechwenodd Wyn.

Edrychodd Ysgrifennydd Cymru fel pe bai am sbaddu'r ddau.

"Hei, Meic, mae Mered wedi dod yma i ffindo mas be sy wedi digwydd i Pico Parry," ailddechreuodd Stan. "Wi 'di gweud 'tho fe, mae ishe fe cael ei cloi lan a rhywun taflu'r allwe' bant. *Fucking perv he is.* Mae pawb yn *New Labour* yn *pervs.*"

"Nawr, Stan, does dim eisiau bod yn *disloyal.* Ti'n gwybod bod 'da ni lot o lle i diolch i *New Labour.* Oni bai am nhw fydde neb yn fotio Llafur yn de-ddwyrain Lloegr."

"Ffwcio de-ddwyrain Lloegr. *To hell with the Middle English.* Ni ddim moyn gwybod am nhw yn y *Valleys. Tell 'em to fuck off!*" gwaeddodd Stan.

Roedd yn ddigon hawdd gweld wrth bwy yr hoffai Michael Owen ddweud y cyfryw eiriau. Wrth lwc, cyrhaeddodd y saig gyntaf, ac anghofiodd y *thug* am bopeth arall wrth gladdu'i ben yn ei gawl. Aeth pethau o ddrwg i waeth. Datgelodd Wyn a Stan fod gan hanner aelodau seneddol de Cymru broblemau priodasol, bod dim rhaid i wragedd neb i'r gogledd o Ferthyr boeni bod eu gwŷr yn cyboli efo merched eraill am fod yn well ganddyn nhw ddefaid, a lluniwyd damcaniaeth bod Tony Blair yn hoffi gwisgo dillad isaf Cherie y tu ôl i ddrysau caeedig Downing Street. Galwyd am ragor o win. Doedd Mered ddim callach beth roedd o'n ei yfed. Gwingodd Michael Owen – doedd wybod i ba drwbwl y byddai'r triawd meddw'n mynd pe bai'n gadael llonydd iddyn nhw.

Roedd y ddau hwligan eisiau mynd i glybio. Gwrthod yn bendant a wnaeth yr Ysgrifennydd Gwladol, ond roedd Mered o'r farn bod yn syniad yn un ardderchog. Tybiai fod ganddo siawns go lew o gael Alison i'r gwely pe bai'n cael cyfle i ddwyn perswâd arni mewn rhyw gornel dywyll. A dweud y gwir roedd o'n credu ei bod hi wedi edrych yn ymbilgar arno sawl tro yn ystod y pryd bwyd. Gosododd ei law'n arbrofol ar ei glin ond fe'i symudwyd ar unwaith. Dim ots. Byddai'n mwynhau sialens. Cododd ar ei draed a llusgo'i ffordd i'r tŷ bach. Blydi hel, roedd llawr y tŷ bwyta fel bwrdd y Titanic, yn siglo a phlymio o dan ei draed. Torrodd dafnau o chwys dros ei dalcen a'i wefus ucha. Shit. Roedd ei fol yn troi fel olwyn trol. Lle roedd y ffycing toilets? Mam bach, pam eu cuddio nhw mewn lle mor wirion? O'r diwedd daeth at y drws, a gwthio'i ffordd drwyddo wrth i'w stumog lamu. Chyrhaeddodd o mo'r toilet. Taflodd y cig oen mewn cyrens coch, y cacennau cranc a photelaid o win coch i fyny yn swfenîr lliwgar a drewllyd dros yr iwrinal. Phiw! Dyna welliant! Symudodd at y basn ymolchi a gwylchu ei wyneb a'i wallt efo dŵr oer. Hmmmm. Braidd yn llwyd a thruenus yr olwg, ond efallai bod siawns efo Alison o hyd. Sythodd ei dei, poeri gweddill y blas chŵd i'r sinc a swagro'n ôl i'r lle bwyta. Pan gyrhaeddodd, roedd y lleill ar gychwyn.

"Ni ddim yn mynd mla'n, boyo. *Guv 'ere thinks we've 'ad enough for one night,*" meddai Stan.

"Ac mae ganddon ni gyfarfod pwysig am naw o'r gloch bore fory. Does fiw i ni'i fethu o," meddai Wyn.

"O wel. Alishon, roedd hi'n blesher dy gyfarfod di. Edrychodd Mered ar y tri dyn. "Tan y tro nesha 'ta. Diolch am noshon fendigedig." Gafaelodd yng nghornel y lliain bwrdd, gan dybio mai ei hances oedd o. Fe'i stwffiodd o i'w boced a throi am y drws. Llusgodd y lliain ar ei ôl. Syrthiodd cynnwys y bwrdd ar lawr – y cwpanau coffi, y gwydrau a'r botel win nes bod y cyfan yn deilchion, a hylif coch a du yn cymysgu â'i gilydd yn bwll budr cyn cael ei sugno i mewn i'r carped trwchus.

PENNOD 4

PAN GYHOEDDODD ELLIS WYNNE ei fod wedi cael llythyr
gan gwmni cysylltiadau cyhoeddus Pegasus PR yr holl
ffordd o America yn gwahodd gohebydd i noson agoriadol
Freeheart roedd pawb eisiau mynd. Bu cwmni o
Hollywood yn ardal Machynlleth am wythnosau yr haf
blaenorol, yn gwneud ffilm am ymdrechion Owain
Glyndŵr i ryddhau'r Cymry rhag hualau creulon y Sais.
Wedi i'r gwaith golygu ddod i ben, y cam nesaf oedd
hyrwyddo, ac i'r perwyl hwnnw roedd Pegasus yn fodlon
gwario miloedd ar hedfan newyddiadurwyr i Ddinas yr
Angylion, eu lletya mewn gwesty moethus am ddeuddydd,
a chadw seddi da ar eu cyfer yn y sinema lle dangosid y
pictiwr am y tro cyntaf. Byddai cyfle wedyn i siarad â
chyfarwyddwr yr epic ac i yfed siampên mewn derbyniad
gydag o leiaf un o'r sêr (doedd y llythyr ddim yn nodi pa
un). Anaml iawn y byddai gwahoddiadau o'r fath yn
cyrraedd swyddfa Gwifrau Gwalia, ond gan mai ffilm am
Gymru oedd hon roedd y cynhyrchwyr am sicrhau bod
cymaint â phosib o bobl Gwlad y Gân yn mynd i'w gweld.
Roedd pythefnos wedi mynd heibio ers i'r Golygydd
ddarllen y gwahoddiad i'w dîm yn ystod un o'r cyfar-
fodydd pnawn. Ni ddywedodd pwy fyddai'n cael y fraint
o gynrychioli'r orsaf yn Tinseltown. Yn hytrach rhoddodd
hwb slei i'w awdurdod drwy awgrymu y byddai cael mynd
yn wobr am ymddwyn yn unol â'i ddymuniadau O, y Bòs.
    Roedd pob un ohonyn nhw'n argyhoeddedig mai fo

neu hi ei hun oedd y mwyaf teilwng o'r dasg. Eluned Ogwr oedd yn troi yn y cylchoedd cywir, meddai hi. Roedd ei llu ffrindiau yn cynnwys nifer o gynhyrchwyr a chyfarwyddwyr ac, o ganlyniad, hi a wyddai pa gwestiynau y dylid eu gofyn i'r cyfeillion yn yr Unol Daleithiau. Ar ben hynny roedd hi wedi dechrau gweithio ar draethawd MA ar Owain Glyndŵr 'nôl yn 1977, nes iddi gael ei dargyfeirio gan ei gyrfa newyddiadurol. Roedd y cefndir hanesyddol ar flaenau ei bysedd. Mynnai Mered mai ffigwr gwleidyddol oedd Glyndŵr, a bod angen gohebydd gwleidyddol i ddeall arweinydd Cymreig mor bwysig. Er bod Sion Aled yn siŵr mai y fo a fyddai'n dehongli'r ffilm orau, doedd ganddo fo mo'r wyneb i geisio darbwyllo neb arall. Ond doedd Eric ddim mor ddiymhongar. Roedd o'n dweud mai y fo a ddylai wneud y job gan mai y fo oedd wedi holi Richard Burton am ei berfformiad yn *The Silence Of The Lambs*.

"Syr Anthony Hopkins oedd hwnna, nid Richard Burton," meddai Mari.

"Y... be... na, na, roedd 'na lot o sôn am y Cymro yn y brif ran," dadleuodd Eric.

"Cymro *ydi* Syr Anthony Hopkins. Mae'n dod o Bort Talbot," meddai Mari.

"O wel, 'run lle, mwy neu lai. Anthony Hopkins, Richard Burton, does fawr o wahaniaeth, nac oes?" meddai Eric.

Ac yntau'n dal yn flin ar ôl helynt y restio, fodd bynnag, penderfynodd Ellis Wynne nad oedd yr un o'r criw yn haeddu trip i LA. Doedd ganddo ddim dewis ond mynd ei hun. Achosodd y penderfyniad sawl sylw miniog a phlannu cyllyll dychmygol yng nghefn y bòs.

"Pwy ma' fe'n meddwl sy'n mynd i redeg y sioe tra ma'

fe bant?" gofynnodd Eluned i Huw Elfed Hughes ar ôl ei
lusgo gerfydd ei *toupee* i'w chartref i yfed jin a thonic.
"Be os aiff rhywun yn yr adran i drwbwl? Pwy wnaiff ein
tyrchu ni allan o dwll? Dyn a ŵyr, mae rhai o'r criw ifanc
'ma'n mynd i drafferthion yn sobor o aml!"

    "Be ffwc mae Ellis Wynne yn ei wybod am ffilms?"
gofynnodd Mered i'w beint o Tennant's Extra yn y Prins
O' Wales. "Mae'n rhaid mai Bambi oedd yr un ddiwetha
iddo fo'i gweld. A fasa Delyth byth yn gadael iddo fo
edrych ar ddim byd gwaeth na *certificate U*, rhag ofn i'w
feddwl bach o gael ei lygru."

    Be os caiff Pico'i ffeindio? meddyliodd Heledd Haf.
Bydd angen *newsflash* arnon ni a neb i'w awdurdodi.
Roedd yn gas gan y DJs a fyddai'n ailgylchu'r un hen
ganeuon bnawn ar ôl pnawn dorri ar draws record efo
bwletin brys. Roedd angen rhywun â statws golygyddol i
fynnu bod newyddion yn cael ei briod le. Credai Heledd
fod ei phennaeth yn gwbl hunanol yn diflannu ar adeg
mor dyngedfennol.

    Problemau llawer mwy uniongyrchol oedd yn poeni
Ellis Wynne. I ddechrau, doedd o ddim wedi hedfan o'r
blaen. Aeth at y doctor a dod yn ôl efo tomen o
dawelyddion a thabledi cysgu.

    "Eu cymryd nhw i gyd ar unwaith, efo potel o frandi
sydd fwyaf effeithiol," meddai Mered.

    Ers iddyn nhw briodi, doedd Ellis ddim wedi treulio
noson ar wahân i Delyth, ei wraig. O ystyried ei fod yn
treulio hanner y diwrnod ar y ffôn efo hi o'r swyddfa wydr,
roedd pawb yn amau sut y byddai'n ymdopi ym mhen
arall y byd hebddi. Yn waeth na dim, credai Mered mai'r
Golygydd oedd y creadur lleiaf abl i fanteisio ar y cyfle i
fod ym 'Merica ar ei ben ei hun. Roedd yn gwybod yn

iawn be fyddai *o*'n ei wneud efo'r holl ferched seliwloid secsi yna. Byddai hyd yn oed Sion Aled yn siŵr o gael blas ar fod yng nghwmni'r starlets efo'u gwallt hir a'u bronnau silicon. Mi gâi o edrych, hyd yn oed os na châi gyffwrdd. A phwy a ŵyr na fyddai gan y creadur bach plorynnog siawns o golli ei wyryfdod efo un ohonyn nhw pe bai'n dweud efo digon o argyhoeddiad ei fod eisoes yn seren ar gyfryngau Cymru. Ond am y Golygydd! Fyddai tunnell o gocên ac addewid am blow-job ddim yn ei demtio i *sbio* ar ferch ddeniadol heb sôn am ei ffwcio.

Roedd yn rhaid iddo fo fwrw 'mlaen â saga Pico Parry, wrth gwrs. Wrth lwc, doedd hi ddim yn anodd ffeindio pethau newydd i'w dweud. Cynhaliodd Plaid Cymru gynhadledd newyddion yn dweud mai nhw bellach oedd â'r siawns orau o gipio sedd Canol Dinas Caerdydd. Hy! meddyliodd Mered. Dywedodd y Ceidwadwyr mai dyma'r math o ffiasco oedd i'w ddisgwyl gan Lafur. Efallai wir, meddyliodd y gohebydd, ond 'dach chithau wedi cael eich siâr o goc-yps. Mynnodd y Democratiaid Rhyddfrydol y byddai popeth yn iawn pe bai pob un o seddi'r Cynulliad yn cael ei hethol drwy gynrychiolaeth gyfrannol. *Dream on!* meddyliodd Mered.

Parhau i freuddwydio am ei sgŵp a wnâi Sion Aled. Ers iddo gael ei anfarwoli yn y *Mirror*, roedd y cyn-hyrchwyr wedi ei gadw dan reolaeth drwy ei orfodi i bori trwy domenni o agendas cynghorau a dogfennau boring eraill.

"Rhaid i ti gofio, nage stori Pico Parry yw'r unig beth sy'n digwydd yn y byd," meddai Heledd Haf. "Mae pobol moyn gwybod beth arall sy'n mynd mla'n yng Nghymru hefyd."

I wneud pethau'n waeth i bawb, roedd Ellis Wynne

wedi penodi Eluned i edrych ar ôl yr adran tra oedd o i ffwrdd. Er mai clywed ei llais ei hun oedd ei phrif ddiléit hi, roedd hi'n ffansïo'r syniad o fod yn dipyn o olygydd. Hyd yn oed cyn i Ellis adael, dechreuodd ymyrryd yn y cyfarfodydd dyddiol, nes ei bod bron â gyrru pawb yn wirion. Marilyn a Mari oedd yr unig rai oedd yn cadw'u pennau yng nghanol yr holl wallgofrwydd.

"Sbia, del, 'dan ni'm *really* yn *bothered* os ydi Cyngor Tre Gynarfon yn rhoi caniatâd cynllunio ar gyfer siop tships newydd yn Stryd Llŷn," meddai Marilyn wrth Sion Aled. "Cofi Dre ydw i a does uffar o ots gen i, felly fydd dim bwys gan neb o'r tu allan yn siŵr."

"Dwyt ti ddim wir yn coelio'r dyn 'na sy'n dwued bod Diana'n fyw ac wedi prynu'r tŷ drws nesa iddo nac wyt?" gofynnodd Mari i Eric. " 'Sdim isho credu pob gair sy yn y *Sunday Sport*, wyddost ti."

"Ond mae 'na lwyth o *conspiracy theories…*"

"Gad i Mulder a Scully ddatrys y rheini. Paid ti â mwydro dy ben bach efo nhw!"

"Fe ddylet ti ddangos mwy o barch i'n tywysoges, bendith y Tad arni, a pheidio â darllen sothach mewn rhacsyn fel 'na!" Torrodd Eluned Ogwr ar draws y ddau a'i thrwyn yn yr awyr.

"Wyt ti'n siŵr y byddi di'n iawn heb Delyth, rŵan?" gofynnodd Mered i Ellis Wynne yn ffug-bryderus.

"O, 'dan ni wedi addo hygio clustog a meddwl am ein gilydd am chwech ar y dot bob nos," meddai'r Golygydd.

Crinc – 'di o ddim yn cofio am y gwahaniaeth amser! meddyliodd Mered. "Ti isho lifft i Heathrow?" cynigodd. Doedd fawr o ddrwg mewn tipyn o grafu, yn enwedig gan fod peryg o hyd y byddai Ellis yn dod i wybod am ei sesh yn Llundain. P'run bynnag, byddai gyrru ar hyd yr

M4 yn ffordd hawdd o osgoi diwrnod o waith.

"Diolch, Mered, ti'n garedig iawn," meddai Ellis.

* * *

Roedd Eluned wedi penderfynu'n ddistaw bach ei bod am fanteisio i'r eithaf ar ei safle, ac nad oedd 'run o'i dwy droed am adael y swyddfa oni bai bod stori wirioneddol deilwng yn codi. Ond pan ffoniodd gŵr ifanc sebonllyd yn absenoldeb Mered a gofyn am gael siarad â'r Gohebydd Gwleidyddol, penderfynodd mai dim ond y hi oedd yn abl i ddelio â fo.

"Myfyr Elidir ydw i," meddai. "Efallai 'mod i'n enw newydd i chi ar hyn o bryd ond dw i'n credu y bydd 'na gryn dipyn o sôn amdana i cyn hir. Dw i'n bwriadu cynnig fy hun i fod yn ymgeisydd ar gyfer y Cynulliad yng Nghanol Dinas Caerdydd. Mae'n edrych yn annhebygol iawn y bydd Mr Pico Parry yn ailymddangos mewn pryd i ymgyrchu ac mi fydd y llywodraeth angen rhywun a all gymryd ei le o ar fyr rybudd. Dw i'n siŵr y byddwn i'n gaffaeliad mawr i'r Blaid Lafur ac i'r Cynulliad. Be ddeudoch chi oedd eich enw chi eto? Eluned Ogwr? A chi yw'r Golygydd? Wel, Ms Ogwr, dw i'n credu y byddai'n fuddiol i chi a mi gyfarfod. Ydych chi'n rhydd heno? Ardderchog! Beth am bryd bach o fwyd? Ydych chi'n hoff o fwyd môr? Le Monde yn eich siwtio chi? I'r dim. Le Monde am wyth o'r gloch 'te. Edrych ymlaen i gwrdd â chi. Hwyl!"

Rhoddodd y ffôn i lawr a gadael Eluned yn rhythu ar y derbynnydd. Pwy ar wyneb daear...? Y ffasiwn *cheek!* Gobeithio nad jôc oedd hyn! Byddai gan *rywun* lawer iawn o waith egluro pe baen nhw'n chwarae tric arni hi!

Er gwaetha'i hamheuon, roedd hi yn Le Monde erbyn wyth. Tywyswyd hi i fwrdd lle'r oedd gŵr ifanc tua phump ar hugain oed yn eistedd. Cododd ar ei draed y munud y'i gwelodd hi.

"Eluned Ogwr! O'r diwedd! Dyna hyfryd eich cyfarfod chi!" Estynnodd ei law. "Be gym'rwch chi i'w yfed? Ga i awgrymu'r Rioja? 'Dach chi ddim yn credu'r ofergoeledd bod yn rhaid yfed gwin gwyn gyda physgod, nac ydych?"

Anaml iawn y byddai Eluned Ogwr yn brin o eiriau, ond doedd hi ddim yn hawdd rhoi ei phig i mewn.

"Wrth gwrs, dw i'n deall ei bod hi'n ymddangos braidd yn od 'mod i'n ffonio *out of the blue* fel petai, yn cynnig fy hun yn ymgeisydd ar gyfer y Cynulliad, ond dw i wedi bod i ffwrdd o Gymru ers wyth mlynedd, 'dach chi'n gweld. 'Dach chi'n gwybod sut mae pethau yn tydych – unwaith r'ych chi wedi mynd, tydi hi'm yn hawdd dod yn ôl."

"Be yn hollol 'ych chi'n 'wneud, Mr…"

"O, galwch fi'n Myfyr, Ms… dw i'n siŵr y caf innau'ch galw chi'n Eluned. Myfyriwr ydw i. Un o'r *eternal students* 'na fel petai. Yn Rhydychen. Disgwyl cael fy noethuriaeth yn yr haf. Gwneud tipyn o waith darlithio, hefyd. Dyna braf arnoch chi – mi allwch chi ddweud eich bod chi wedi dod i'm nabod i *cyn* i mi ddod yn Dr Elidir! Ond, o ddifri rŵan, rydw i awydd dod yn ôl i Gymru, efo'r ymchwil yn dirwyn i ben a phob dim, a meddwl y byddai sefyll ar gyfer y Cynulliad yn gyfle delfrydol i wneud hynny."

"Pa brofiad gwleidyddol sydd ganddoch chi?"

"O, mae 'ngwaith ymchwil i yn wleidyddol iawn ei naws. 'Lle y Wladwriaeth ym Mywyd yr Unigolyn ym Mhrydain rhwng 1979 ac 1997'. Cyfnod anhygoel. Ie. Mi wnaeth Margaret Thatcher fyd o les. Tynnu hualau llywodraeth oddi amdanon ni. Ac wrth gwrs, dw i wedi bod yn perthyn i gangen y coleg o'r *Young Conservatives* – roeddwn i'n llywydd bedair blynedd yn ôl."

"Ond Mr…"

"Myfyr," cywirodd Myfyr.

"Myfyr, rhaid eich bod chi wedi gwneud camgymeriad. Ymgeisydd Llafur yw Pico Parry, nage Ceidwadwr. Y blaid *Lafur* sy'n mynd i fod yn brin o ymgeisydd os na ddaw e i'r fei."

Pwysodd Myfyr yn ei flaen fel pe bai am ddweud cyfrinach fawr.

" 'Sdim ots, Eluned. Dw i ddim wedi talu fy nhâl aelodaeth i'r Ceidwadwyr ers dros ddwy flynedd. Mi roddais i'r gorau i fod yn aelod unwaith y daeth hi'n glir y bydden nhw'n colli'r etholiad cyffredinol diwethaf. Mae'n rhaid i wleidydd y dyfodol edrych tuag at blaid y dyfodol!"

"Ond fydd y Blaid Lafur ddim moyn unrhyw un oddi ar y stryd!"

"Dw i'n gwybod bod ganddyn nhw beirianwaith ar gyfer dewis ymgeiswyr," meddai Myfyr. "Ond 'drychwch. Rhywun fel fi sydd ei angen arnyn nhw ar hyn o bryd. Rhywun ifanc, egnïol, golygus. Maen nhw wedi cael cnoc wrth golli Pico Parry, oni bai ei fod o'n dod yn ôl, wrth gwrs. Mi fedra i wneud iawn am y golled honno. Delwedd ydi popeth rŵan, ar drothwy'r mileniwm. Tydi polisïau ddim yma nac acw. Be 'di'r ots 'mod i'n arfer perthyn i'r Torïaid? Does 'na ddim lot o wahaniaeth rhyngddyn nhw a Llafur beth bynnag. Rŵan, beth am fwyta. Rydach chi'n dewis eich pysgod yn amrwd o'r cownter acw, ac maen nhw'n eu coginio nhw fel rydach chi'n eu hoffi."

"Maddeuwch i mi am ddweud," meddai Eluned rhwng

dwy gegaid o *calamares*. "Ond d'ych chi ddim wedi'ch amlygu'ch hun o gwbl yng ngwleiddiaeth Cymru. Shwt allwch chi ddisgwyl i unrhyw un gymryd sylw ohonoch chi mor sydyn?"

" 'Dach chi'n newyddiadurwraig i'r carn, dw i'n gweld. Dw i'n licio pobol sy'n gofyn cwestiynau treiddgar."

Gwenodd Eluned yn hunanfodlon.

"A dweud y gwir…" Daeth Myfyr yn nes ati fel pe bai am ddweud cyfrinach arall. "… mi wnes i rywfaint o ymdrech, 'nôl yn '96, pan oedd y Ceidwadwyr yn dewis eu hymgeiswyr ar gyfer yr etholiad cyffredinol. Mi gysylltais i â'r blaid yng Nghymru, a dweud y byddwn i'n fodlon sefyll drostyn nhw, cyn belled â'u bod nhw'n rhoi un o'u pum sedd gorau i mi."

"Ond wnaethon nhw ddim derbyn y cynnig."

"Mi gynigion nhw Aberafan i mi. Dychmygwch! Mae gan yr aelod Llafur fwyafrif anferth! Fyddai gen i ddim gobaith caneri!"

"Felly gwrthod wnaethoch chi?"

"Wrth gwrs. Doeddwn i ddim am drafferthu oni bai bod gen i rywfaint o obaith. Dychmygwch y sarhad pe bawn i'n colli fy ernes!"

"Ond Myfyr bach, onid fel 'na mae'r rhan fwyaf o wleidyddion yn dechre? Bwrw eu prentisiaeth mewn sedd anobeithiol a chael eu dyrchafu ar gyfer yr etholiad nesaf. Faint oedd eich oed chi adeg yr etholiad ta beth?"

"Pedair ar hugain. Ond be 'di'r ots am hynny? Nhw oedd ar eu colled. Roedden nhw angen rhywun fel fi."

"Beth 'ych chi'n 'feddwl?"

"Wel, sbiwch arnyn nhw mewn difri calon. Plaid o hen *fogeys*. A'r *fogey* ifanc 'na sy'n eu harwain nhw yn meddwl y gall o newid popeth drwy wisgo *baseball* cap. Edrychwch ar eu sefyllfa nhw yng Nghymru a'r Alban. Dim un aelod! A'r cyfan am eu bod nhw'n ymddangos yn griw o bobol mor llwyd a diflas. Mi allwn i fod wedi cynnig rhywbeth newydd iddyn nhw. Cymro ifanc, talentog, yn barod i fentro, rhugl yn y Gymraeg..."

Cytunai Eluned â fo ynglŷn â hynny. Roedd ffeindio Torïaid i'w holi yn Gymraeg yn goblyn o gur pen. Syllodd Myfyr i fyw ei llygaid. A dweud y gwir, roedd ganddo lygaid neis iawn – dwfn a chraff a thywyll.

"Rhyngddoch chi a mi, Eluned, doeddwn i ddim yn gweld fawr o obaith i'r Torïaid yng Nghymru, yn enwedig a hwythau'n gwrthod anrheg ar blât fel yna. Dyna pam rydw i wedi newid fy mhlaid. Dw i am fod ar yr ochr sy'n ennill! Mwy o win?"

"Ond chi ddim yn dishgwl i unrhyw blaid eich croesawu chi â breichiau agored fel 'na. Eich derbyn chi'n aelod, falle, ond ymgeisydd?"

"Pam lai? Mae gan rai o arweinwyr Llafur ffrindiau rhyfeddach. Mae lot o wleidyddion wedi newid lliw. Pam na fedra i?"

"Pam ydych chi'n dweud hyn i gyd wrthyf fi?" gofynnodd Eluned wrth i'r *bass* môr gyrraedd.

"Dw i'n meddwl bod perthynas dda efo'r wasg yn hollbwysig," meddai Myfyr yn sidanaidd. "Mae'r peth yn gweithio ddwy ffordd, wrth gwrs. Dw i angen cyhoeddus-rwydd, 'dach chi angen deunydd da i lenwi'ch rhaglenni. Rydach chi'n ddynes ddylanwadol, Eluned. Mi allai'r hyn 'dach chi'n ei gynnwys yn eich rhaglenni wneud y byd o wahaniaeth i mi. Dylanwadol a deallus hefyd, mae'n amlwg. Mi wnes i'ch gwadd chi yma heno er mwyn cael cyfle i ddod i'ch nabod chi'n well, a rhaid i mi ddweud, dw i ddim wedi fy siomi. Gobeithio y cawn ni gyfle i wneud hyn eto rywbryd."

Erbyn diwedd y noson, roedd Eluned yn glai yn nwylo Myfyr Elidir. Shwd grwt ifanc bonheddig. Roedd o wedi mynnu nad oedd hi'n talu'r un ddimai am y pryd. Gobeithio'i fod e'n gallu'i fforddio fe, ac yntau'n dal yn fyfyriwr. Roedd e'n gwerthfawrogi newyddiadurwraig alluog. Pe bai hi'n gwbl onest, roedd hi'n pitïo nad oedd e ddeng mlynedd yn hŷn, neu hithau ddeng mlynedd yn iau. Gallai foddi yn y llygaid treiddgar yna!

* * *

Roedd Ellis Wynne ar y ffôn o fore gwyn tan nos. Nid am ei fod eisiau gwybod popeth oedd yn digwydd yng Nghymru fach, na hyd yn oed be oedd yn digwydd o fewn ei adran ei hun. Ffonio roedd o i gynnig eitemau am ei drip i America.

"Mae'n ofnadwy o ddifyr yma. Mi fydd pobol yn licio clywed hanes llefydd fel hyn, wyddoch chi," meddai. "Meddwl roeddwn i y baswn i'n gallu gwneud rhyw fath o ddyddiadur tra dw i yma. Galwad ffôn yn ystod pob rhaglen yn dweud fy hanes. Mi fyddai'r gwrandawyr wrth eu bodd! Asgob, oedd y daith yma'n anhygoel. Oeddech chi'n cael gweld ffilms ar yr awyren! Ac am ddinas ydi LA! Mae hi mor fawr! Mi aethon nhw â ni heibio i dai'r ffilmstars ddoe!"

"Welist ti rywun *famous*?" holodd Marilyn, a fyddai'n mynd i'r pictiwrs bob nos Sadwrn.

"Wel, mi gawson ni gip ar rywun o'r enw Demi Moore – dw i'n meddwl mai dyna oedden nhw'n ei galw hi. Enw od 'te? Maen nhw'n dweud nad ydi hi efo Bruce Williams mwyach – mae priodas pawb yn chwalu yn fan hyn. O – ac mi aethon ni heibio i dŷ John Travolta. *Grease* oedd y ffilm gynta i mi fynd i'w gweld efo Delyth. Dw i'n siŵr y gwneith yr hanes eitem dda ar gyfer newyddion un."

" 'Na i dy drosglwyddo di i Heledd 'ta, del, hi sy'n cynhyrchu," meddai Marilyn.

"Diolch am y syniad, ond sa i'n siŵr," meddai hi. "Cofia mai rhaglenni newyddion 'yn ni'n trio'u gwneud. Does 'na ddim llawer o le i *features* ysgafn."

"Ia wir. Paid â'i annog o," meddai Mered. "Mae'n ddigon i ni orfod diodda'i hanesion diflas o, heb sôn am weddill y genedl."

Tra oedd Ellis Wynne yn meddwi ar Galiffornia, roedd Heledd yn pendroni pwy ddylai ddilyn Heddlu'r De wrth iddyn nhw anfon deifwyr i waelod llynnoedd ac *alsatians* i ganol coedwigoedd i chwilio am Pico Parry. Ai Mered, am mai gwleidydd oedd ar goll, yntau a ddylai hi roi cyfle i Sion Aled?

"Dywed wrth Sian am fynd," gorchmynnodd Eluned Ogwr o gysur ei swyddfa. Doedd hi ddim am fentro gadael i Mered gael sgŵp. Ar y llaw arall roedd rhoi'r gwaith i Sion Aled yn gofyn am drwbwl.

"Ond pwy wnaiff sgrifennu'r bwletinau wedyn?" paniciodd Heledd.

"Fe gaiff Sion Aled wneud hynny," meddai Eluned yn fawreddog. "Dyw e ddim ffit i fynd allan i ganol y cyhoedd ta beth!" Doedd hi erioed wedi bod yn or-hoff o'r cyw gohebydd, ac roedd ei statws golygyddol newydd yn rhoi'r esgus perffaith iddi ei fwlio. Felly etifeddodd Sian saga'r gwleidydd tra oedd Sion yn eistedd y tu ôl i ddesg yn grwgnach.

Bring-bring!

"Helô, Ellis sy 'ma. Gwranda, dw i newydd gael syniad. Os nad oes gen ti ddiddordeb mewn dyddiadur taith, oes gen ti le yn y rhaglen ar gyfer rhagflas o *Freeheart*? Mae'n bwysig ofnadwy i Gymru, cofia. Dyma'r tro cynta i ffilm gael ei gwneud yn Hollywood am Owain Glyndŵr."

"Wel… ym… sa i'n gwybod… a gweud y gwir, Ellis, mae pethe'n uffernol o dynn arna i. 'Dan ni wedi bod mas 'da'r cops yn chwilio am Pico, ac mae 'na reiats mawr ym Moscow… Falle y bydd diddordeb 'da *Pnawn Da*?"

"Ol reit, ti ŵyr. Ond paid â rhoi gormod o stwff tramor yn y rhaglen! Ta ta!"

Bring-bring. Bring-bring.

"Helo, Ellis sy 'ma."

"Haia, sut wyt ti, del?" Marilyn atebodd y tro hwn.

"Dw i newydd fod yn darllen am y parti maen nhw'n ei gael ar ôl y *premiere* – mae'n swnio'n anhygoel. Mi fydd Julia Jones, y brif actores yno. Wyt ti'n meddwl ei bod hi o dras Cymreig? Gan ei bod hi'n *Jones* felly?"

"Dw i'm yn siŵr, cyw. Fedra i'm deud 'mod i'n gwybod llawer amdani."

"Well i mi ofyn iddi, dw i'n meddwl. Os nad ydi hi'n siarad Cymraeg, ti'n meddwl ei bod hi'n iawn i mi wneud cyfweliad Saesneg efo hi?"

"Wel, dw i'm yn gwybod, Ellis bach. Chdi di'r Golygydd!"

"Ellis, faint o'r gloch ydi hi'n fan'na?" Bachodd Mered y ffôn oddi ar Marilyn.

"Tua hanner awr wedi dau y bore."

"Wel, dos i dy wely, rŵan, dyna hogyn da. Mae gen ti ddiwrnod mawr o dy flaen fory, cofia. Ffilm a pharti. Mwy o gymdeithasu na ti'n arfer 'wneud mewn blwyddyn. Ac mae'n rhaid i ti gael dy *beauty sleep* cyn cyfarfod yr holl sêr 'na. Ti ddim isho iddyn nhw gael argraff wael o ddynion Cymru, nac wyt?"

"O, 'sgen i ddim diddordeb ynddyn nhw," meddai Ellis. "Waeth gen i pa mor ddel ydyn nhw, un ddynes sy yn 'y mywyd i…"

Ond doedd neb yn gwrando, a gadawyd y Golygydd yn siarad efo fo'i hun ar lein ffôn saith mil o filltiroedd i ffwrdd.

* * *

Nid swyddfa Gwifrau Gwalia oedd yr unig le oedd yn cael galwadau gwirion. Roedd fflyd o bobl wedi bod yn ffonio gorsafoedd heddlu Caerdydd yn honni eu bod wedi gweld Pico Parry. Roedd o wedi ymuno â band roc a rôl a oedd yn dynwared y Manic Street Preachers ac wedi mynd ar daith rownd neuaddau pentref gwlad Pwyl, meddai un. Dywedodd un arall ei fod wedi ei weld o'n rhannu bàth o lager efo Kath, *Pobol y Cwm*, mewn parti gwyllt yn nhŷ'r Archdderwydd.

"Blydi gwleidyddion! Maen nhw i gyd cyn wironed â'i gilydd," meddai Marilyn.

Llwyddodd hyd yn oed Eluned Ogwr i roi hanner gwên pan ddywedwyd yr hanesion hyn gan blismon mwy cyfeillgar na'r rhelyw a oedd wedi dod i'r stiwdio i wneud cyfweliad. Ond pan gawson nhw'u darlledu ar ddiwedd y bwletin, rhuthrodd i'r stiwdio, a'i gwep fel gwrach.

"Er mwyn dyn, pwy sy'n ddigon *anghyfrifol* i sgwennu'r fath sothach?" sgrechiodd. "Rwy' newydd gael galwad ffôn gan bartner Pico Parry yn cwyno am y ffordd r'yn ni'n ymdrin â'i ddiflaniad e. Cwbl amharchus medde fe ac wi'n cytuno! Beth bynnag sy'n mynd drwy'ch meddylie bach plentynnaidd chi'n fan hyn…" – tyllodd ei llygaid drwy dalcen Sion Aled – "… cofiwch mai gwasanaeth 'yn ni'n ei gynnig! Gwleidydd sydd ar goll nage Elvis!"

"Iawn, Miss!" Roedd Mered yn gwingo mewn poen wrth drio peidio â chwerthin.

Trodd Eluned ato fel mellten. "Ac rwy'n dy gynnwys dithe yn hyn, Meredydd Huws! A dweud y gwir fe wnaeth Jeremy Bird grybwyll dy enw di'n benodol. Mae e'n flin iawn, ar ôl i ti ddweud rhywbeth am gyflwr eu perthynas nhw pwy ddiwrnod. Un awgrym o'r fath eto ac fe fydd e'n mynd â'r peth ymhellach!"

Bring-bring. Bring-bring.

"Helô, Ellis sy 'ma. Jest meddwl y basach chi'n licio gwybod…"

"Wnaiff rhywun ddweud wrth y dyn 'na bod gen i RAGLEN i'w chynhyrchu," chwyrnodd Heledd Haf.

"Ellis," meddai Mered yn ffug-gwrtais gan gymryd y derbynnydd oddi arni. "Mae Heledd yn dweud bod ganddi raglen i'w chynhyrchu a wnei di plis adael llonydd iddi!"

"Bastard!" poerodd y cynhyrchydd gan fachu'r ffôn yn ôl. "Wedes i ddim byd o'r fath. Ellis, paid â gwrando arno fe. Ti'n gwybod shwd jôcs cachu sy 'da fe!"

"Dw i ddim am ffonio'r holl ffordd o America er mwyn i bobol wneud hwyl am 'y mhen i," meddai Ellis wedi llyncu mul.

"Mae'n ddrwg da fi, Ellis, shwt alla i dy helpu di?"

"Mynd i gynnig eitem roeddwn i, ond mae'n amlwg nad oes gen ti ddiddordeb," meddai yntau mewn llais dagreuol. "Anghofia'r peth. Mi wna i ei chynnig hi i *Pnawn Da*. Deuda wrth Eric 'mod i wedi ffonio. Mi fydd *o*'n gwerthfawrogi help i lenwi. Nos da!"

Edrychodd Mered ar y cloc. Un ar ddeg. Mi fyddai'n dri o'r gloch y bore yn Los Angeles. Jôcs cachu ie? Sleifiodd i'r stiwdio i gynllwynio.

Aeth gweddill y bore – a'r rhaglen – heibio'n ddidramgwydd. Swniai Mered yn slic yn trafod yr arolygon barn diweddaraf yn darogan faint o seddi roedd disgwyl i bob plaid eu hennill yn y Cynulliad. Rêl *instant pundit*, meddyliodd Maldwyn, yn sugno gwybodaeth o'r papurau newydd a'i chwydu'n ôl drwy'r meicroffon. Cafwyd adroddiad gan Sian o goedwig lle'r oedd yr heddlu'n dychmygu y bydden nhw'n dod o hyd i gorff Pico, a chlamp o gi yn chwythu y tu ôl iddi. Popeth yn syber ac yn gall. Doedd y cynhyrchydd ddim yn amau direidi pan ofynnodd Now, y peiriannydd, ym mha westy yn LA roedd Ellis Wynne yn aros.

"Yn y Beverly Hills Hilton wi'n credu," meddai. "So fe 'di bod yn dy haslo di hefyd, nac yw e? So fe 'di stopo ffonio'r stafell newyddion."

"Na, ffansi mynd i Galiffornia ar wyliau'r haf 'ma roeddwn i," medda fo'n ddiniwed. "Isho gwesty bach golew i aros ynddo fo."

"Ma'r rhif 'da fi yn y swyddfa. Dere i'w nôl e ar ôl y rhaglen," meddai Heledd.

Yn groes i'w arfer, roedd Mered yn dal wrth ei ddesg pan orffennodd y newyddion. Fel rheol byddai'n mynd ar ei ben i'r *pub* gynted ag y byddai ei adroddiad ei hun ar ben. Amneidiodd ar Marilyn i ddod ato wrth i Heledd roi'r rhif ffôn i Now. Doedd dim pwrpas chwarae triciau heb gynulleidfa.

"Dyma fo." Ymunodd y peiriannydd â nhw a dechrau deialu. Roedd o'n giamstar ar ddynwared acenion o bob rhan o'r byd.

"*Good morning. Beverly Hills Hilton.*"

"*Good morning,*" meddai Now yn ei lais normal. "*May I speak to Mr Ellis Wynne in room 413 please?*"

"Certainly… it's ringing for you," meddai'r ferch.

Canodd y ffôn sawl gwaith cyn i lais cysglyd ateb y pen arall. "Helô."

"Hello. Is that Mr Ellis Wynne?" gofynnodd Now mewn llais cowboi bŵts a Stetson.

"Yes it is."

"Well, Mr Wynne. This is the manager of the Beverly Hills Hilton. I'm afraid I've received a complaint about you from a fellow guest."

Tawelwch am ennyd.

"Who?" meddai Ellis Wynne.

"It's the lady in the opposite block. She says she's seen you masturbating by the window."

"What?"

"Is this true, Mr Wynne? Because if it is I'm gonna have to ask you to leave."

Tawelwch enbyd arall.

"No, no, it's not true. But she can't have anyway. The curtains are closed!"

PENNOD 5

"BIG ISSUE! BIG ISSUE!"

Damia! Roedd pedwar diwrnod i fynd tan ddiwrnod cyflog a dim ond pum punt ac un deg saith ceiniog yn ei chyfrif banc, ond fedrai Mari ddim gwrthod.

"Thanks love," meddai'r gwerthwr wrth iddi roi ei phres prin iddo.

Ar ei ffordd i gael peint efo Sion Aled yr oedd hi. Roedd o wedi bod yn y gwaith drwy'r dydd, er mai dydd Sadwrn oedd hi, a hithau wedi bod yn galifantio rownd y siopau. Y creadur! Roedd o bron â marw eisiau cael bitsh am Eluned Ogwr. Roedd hi'n gwneud ei fywyd yn uffern – wastad â'i chyllell yn ei gefn, yr hen ast iddi. Doedd o ddim mor anobeithiol â hynny! Roedd Mari yn eitha hoff o Sion, er nad yn y ffordd *yna* wrth gwrs – roedd y plorod yn llawer rhy erchyll. Ond roedd o'n hogyn digon annwyl. Byddai'n rhaid iddo fo brynu peint iddi hi, rŵan, ar ôl iddi offrymu un o'i phunnoedd olaf i ddyn y *Big Issue*.

"Y bli... bli... bli... bli... blincing fuwch!" Roedd Sion yn cael trafferth poeri'r geiriau i ganol ei lager.

"Iesgob! Pwy ti'n 'feddwl?"

"Ti'n gwybod yn iawn pwy dw i'n feddwl. Y jaden dew, bwysig yna sy'n eistedd ar ei phen-ôl drwy'r dydd yn gwneud dim byd ond gweld bai ar bobol eraill. Mi ddaeth hi i'r swyddfa heddiw i tsiecio arna i a hitha i fod off! Meddylia!"

"O, hi!" Nodiodd Mari'n gall.

"Heb gael un gan ei gŵr erstalwm y mae hi, 'sti. Dyna pam bod y gnawes mor flin." Roedd Eluned yn briod â rhywun pwysig yn y WDA, oedd wastad i ffwrdd ar fusnes ym Mrwsel, America neu Japan.

"Tyd o 'na. Fasat ti eisiau rhoi un i Eluned Ogwr?" gofynnodd Mari.

"Na faswn debyg. Ond faswn i ddim wedi mynd ar ei chyfyl hi yn y lle cynta!"

"*Frustrated superstar* ydi hi go iawn. Mi ddylai hi fod yn darllen y newyddion ar S4C erbyn hyn, neu'n *Middle East Correspondent* i'r BBC neu rywbeth. Ond be ydi hi? Gohebydd patsh i Gwifrau Gwalia, sy'n cwyno pan mae'n rhaid iddi fynd yn bellach na Cathays!"

"Ia, 'te ," meddai Sion. "A fedar hi ddim gwenu i achub ei bywyd. Welaist ti mor flin oedd hi pan roddais i stori'r Pico *sightings* yn y bwletin?"

Agorodd Mari'r *Big Issue*. "Ty'd i ni weld oes 'na sgŵp i ti yn fan hyn. Dyna wyt ti isho – stori a aiff â chdi'n ddigon pell o'r swyddfa."

"Duw, ie, Mar, ti'n iawn," meddai Sion.

"Dyma i ti rwbath ynglŷn â cherddoriaeth ddawns o Affrica. Ond dw i ddim yn meddwl bod hynny cweit yn GG rywsut. Mae'n lot rhy cŵl."

"Cofia, mi fasa Eric yn cymryd eitem arno fo. Mi fedra i'i glywed o rŵan yn smalio'i fod o'n gwybod popeth am gerddoriaeth Affrica, ac yn mwydro am y ffordd y cafodd o'i wneud yn *chief* gan ryw lwyth yn Nigeria!"

"Twt, breuddwydio mae o," meddai Mari. "Be am hyn – Viagra'n cael ei werthu mewn clybia nos yng Nghaerdydd? Er, tydi hynny ddim yn newydd, chwaith, nac 'di?"

"Ond mae'n newydd i ni," meddai Sion, yn glustiau i gyd. "Does neb wedi ffeindio unrhyw un sy'n cymryd

Viagra ac yn siarad Cymraeg, nac oes?"

Chwarddodd Mari. "Fasat ti'n cyfadda?"

"Wel, go brin, oni bai 'mod i 'di cael lysh. 'Sgen ti awydd dod efo fi i chwilio am beth? Mi fedra i wneud adroddiad dydd Llun wedyn."

"Pryd – rŵan?"

"Pam lai?"

"Tydi hi ddim ond hanner awr wedi chwech."

"Ty'd yn dy flaen, Mar. Mi fedrwn ni gael peint arall neu ddau gynta, wedyn trio rhai o'r clybia."

Edrychodd Mari'n ddwfn ac yn ddwys ar ei ffrind. Clwb Derby and Joan fyddai'r unig un a fyddai'n ei dderbyn o yn ei drowsus melfaréd a'i siwmper plu eira. "Tydw i ddim yn mynd ar gyfyl unrhyw glwb efo chdi yn edrych fel 'na," meddai. "Os ei di adra i newid, mi awn ni i Pizza Hut am damaid, ac *out on the town* wedyn. O – a bydd rhaid i ti roi *sub* i mi, dw i'n sgint."

"*Deal!*" meddai Sion, a chlecian ei beint ar ei dalcen.

Awr union wedyn, roedd y ddau yn y cwt *pizza* yn stwffio *Deep Pan Pepperoni* i lawr eu cyrn gyddfau gynted fyth ag y gallen nhw. Roedd Sion wedi newid – dan gyfarwyddyd Mari – i bâr o jîns du a chrys oren, ac yn drewi o Brut.

"Wel, lle'r awn ni 'ta?" meddai Mari.

"Dwn i'm. Rownd y tafarnau i ddechrau, wedyn i'r Ffili, Oz neu Cococabana? Neu beth am drio clwb Pico Parry. Be 'di enw fo – Venus ne' rwbath, ia?"

Chwarddodd Mari. "Ei gwmni teledu o ydi hwnna. Paradiso ydi enw'r clwb. Ond awn ni byth i mewn i fan'no. Mae o mor boblogaidd fel bod rhaid i ti fwcio tocynnau o flaen llaw, bron."

"Allwn ni wastad fynd i Glwb Ifor Bach os aiff petha'n drech na ni."

"Clwb Ifor? Dw i wedi bod i fan'no bedair wythnos ar y trot, a does 'na neb wedi cynnig cymaint ag Anadin i mi, heb sôn am Viagra," meddai Mari.

I ffwrdd â'r ddau i'r tai tafarn. Dechrau yn yr Horse and Jockey, lle'r oedd degau o ferched ifanc iawn, mewn topiau tyn iawn, iawn yn sugno diodydd pinc, piws a melyn o boteli efo gwellt. Profai'r olwg ar eu hwynebau nad Ribena roedden nhw'n ei yfed.

"Lwcus eu bod nhw wedi eu gwasgu at ei gilydd fel sardîns," meddai Mari. "Mi fydden nhw'n baglu ar draws eu sodlau uchel fel arall."

Roedd y wasgfa'n ormod i'r ddau dditectif. Roedd ciwio am hanner awr i fynd at y bar yn ormod o aberth. P'run bynnag, edrychai cwsmeriaid yr Horse and Jockey'n rhy ifanc i gael jwmp, heb sôn am Viagra – nid bod hynny'n debyg o'u rhwystro pe baen nhw'n cael y cyfle.

O'Leary's, y dafarn Wyddelig, oedd y stop nesaf. Roedd hithau'n llawn, ond llwyddodd Mari i ffeindio dwy sedd yn y gornel.

"Iechyd da!" meddai wrth i Sion ddod ati efo dau beint o Guinness.

Roedd o, fodd bynnag, yn cofio nad jest er mwyn joio yr oedden nhw yno. "Sciws mi, dw iw no whêr tw go ffor sym Viagra?" gofynnodd i ddyn canol oed a oedd yn sefyll drws nesa iddo yn y toiledau.

Edrychodd yntau'n hurt. "And what in God's name would I be needing that for?" gofynnodd mewn acen Wyddelig.

"O, sori!" meddai Sion gan gochi.

"Ti'n lwcus ei fod o heb dy hitio di," meddai Mari ar ôl clywed yr hanes.

"Be ddeuda i tro nesa, 'ta?"

"Dwn i'm. Jest dewis dy darged yn fwy gofalus."

Er mor ddymunol oedd y dafarn, roedd dyletswydd yn galw. Rhaid oedd ymweld â chymaint o lefydd â phosib er mwyn darganfod ymhle yr oedd profiadau rhywiol gwerth chweil yn cael eu gwerthu. Aeth y ddau i'r Llong a'r Castell, y Dog and Duck a Bar Sam. Cawsant eu tynnu i mewn i gêm yfed efo criw o fyfyrwyr yn Oz, tafarn Awstralaidd a oedd yn galw'i hun yn glwb am fod lle bach i ddawnsio yno.

Fuzzy duck... fuzzy duck... fuzzy duck... fuzzy duck... does he...

"Does he fuck!" meddai Sion Aled.

"Dau fys!" gwaeddodd pawb arall.

A chyn hir roedd dau fys wedi troi'n ddau beint. Roedd golwg go sigledig arno wrth iddo giwio y tu allan i'r Cococabana. Ymadawodd â deuddeg punt i fynd i mewn – chwe phunt iddo fo a chwe phunt i Mari, punt arall i gadw'u cotiau, a'i heglu hi am y bar. Doedd dim peintiau o lager na Guinness i'w cael yn Cococabana. Dim ond cwrw potel trendi roedden nhw'n ei werthu. Gofynnodd Sion am ddwy botel o Beck's a mynd i chwilio am Mari. Dyna ryfedd. Gallai daeru ei bod hi y tu ôl iddo ddau funud yn ôl. Gan deimlo fel pe bai ei ymennydd wedi ei olchi mewn cwrw, crwydrodd o gwmpas y byrddau i chwilio amdani. Dim sôn o gwbl. Aeth i fyny'r grisiau a phwyso ar y rheiliau i edrych ar y dawnswyr yn siglo a gwegian oddi tano. Hoeliwyd ei sylw ar ddwy ferch mewn shorts a bras porffor a bŵts hir gwyn yn dawnsio ar y llwyfan. Roedd ganddyn nhw flodau plastig yn eu gwallt a lliw lamp haul drostyn nhw. Doedd Sion ddim wedi gweld dim byd tebyg o'r blaen. Cafodd ei hudo am dipyn gan y bronnau'n bownsio o dan y gorchudd prin.

Drachtiodd yn ddwfn o'r botel Beck's. Er mor henffasiwn oedd o, roedd y botel yn hen ffrind. Roedd o wedi bod yn ffyddlon iawn yn y seminarau nosweithiol yn y Cŵps, CPs a'r Llew Du yn Aber. Rhoddodd y gorau i edrych ar y dawnswyr a chrwydro o gwmpas y llawr uchaf mewn breuddwyd. Dal dim sôn am Mari. Yna, bang!

"Wps, sori!" Cerddodd i mewn i foi y tu hwnt o cŵl yr olwg mewn siwt, nes bod ewyn yn llifo o'i botel gwrw.

Edrychodd yn hyll ar Sion. " 'Shgwl lle ti'n mynd, 'chan!"

"Cymro wyt ti? Dw i'n chwilio am Mari ac am Viagra. Wyt ti wedi'u gweld nhw?"

"Mari – dy wejen di, ife? Crist, ti'n dishgwl fel 'se angen Viagra arnat ti 'fyd!" Edrychodd yn ddirmygus arno. Yna nodiodd. " 'Shgwl. Ma' 'da fi rywbeth gwell! Der 'da fi!"

Heb wybod yn iawn beth oedd yn digwydd, fe'i dilynodd Sion o i'r tai bach.

" 'Shgwl!" Dangosodd y boi cŵl dair tabled las iddo. "Ma'n nhw'n dishgwl fel Viagra ond nage 'na beth 'yn nhw." Plygodd yn ei flaen yn hanner bygythiol. "Mae'r rhain dair gwaith gwell!"

"Be ydyn nhw?" Fel pe bai o rywfaint callach!

"So nhw ar y farchnad 'to. Ond paid ti poeni am 'ny!" Rhoddodd yr hwrjwr bwniad yn asennau Sion. "Fyddi di'n *rock solid* ar ôl un o'r rhain, gw'boi. Galed fel *steel fucking girder*. Os na fydd Mari'n hapus ar ôl i ti gymryd un o'r rhain fydd hi byth."

"F… faint ydyn nhw?"

"Saith punt yr un. Ma'n nhw'n tshêp. Ond os ti moyn y tair gei di nhw i gyd am ugain." Ymbalfalodd Sion yn ei boced am yr arian. Rhoddwyd y tair pilsen iddo. "Gadwith y rhain ti i fynd trwy'r nos," meddai'r gwerthwr, a diflannu.

Gadawyd Sion yn pwyso'n erbyn y basn ymolchi, yn meddwl be roedd o wedi'i brynu, ac yn meithrin ffantasïau erotig am Mari.

"O Sion, fan'na wyt ti. Oeddwn i'n methu dallt lle'r oeddat ti wedi mynd!" Ymddangosodd Mari o'r mwg a'r goleuadau y munud yr oedd Sion wedi dod allan o'r toiledau. Teimlai fel pe bai'n dechrau sobri, ond doedd ganddo ddim pres i fynd i chwilio am 'chwaneg o gwrw. "Dw i 'di bod yn chwilio amdanat ti ym mhob man."

"A finne tithe hefyd. Lle'r aethost ti?"

"Dim ond i ganol y *dancefloor*, i ddawnsio. Gwranda, dw i 'di cael digon yma rŵan. Dw i am fynd adra. Mae Hank yma'n mynd i ddod efo fi. Gobeithio nad wyt ti ddim yn meindio."

Gwnaeth Mari lygaid llo ar y llanc tal, penfelyn a oedd yn sefyll yn ei hymyl. Roedd ganddo gorff fel Brad Pitt a dim sôn am bloryn ar ei wyneb. Wrth gwrs bod Sion yn meindio!

`"O wel, ti ŵyr. *If you can't be good be careful!*"

"Mae'r tocyn cotiau gen ti yn tydi? Ti'n siŵr y byddi di'n iawn ar dy ben dy hun, rŵan? Mae croeso i ti rannu tacsi efo ni."

"Na, mi gerdda i. Dw i isho tipyn o awyr iach." Gwgodd Sion wrth ildio'r tocyn.

Gafaelodd Hank yn llaw Mari a'i llusgo at y drws. Rhoddodd Sion bum munud iddyn nhw i ddiflannu cyn ymadael ei hun, a dechrau cerdded y filltir unig yn ôl i Canton.

* * *

Deffrodd y bore wedyn efo hangofyr yn hollti'i ben. Gorweddodd yn ei wely am hydoedd, a'i stumog yn rhybuddio y byddai unrhyw symudiad sydyn yn ei gorfodi i gael gwared â'i chynnwys yn y fan a'r lle. Roedd rhywun yn cynnal arddangosfa dân gwyllt y tu mewn i'w benglog, a'r lliwiau llachar yn arteithio'i lygaid. Gwell eu cau yn dynn a swatio o dan y *duvet*. Byddai wedi dychmygu y byddai'r fath afiechyd wedi tynnu ei feddwl oddi wrth y dolur o weld Mari'n gadael Cococabana efo Hank, ond na. Hynny oedd yn brifo fwyaf. A'r peth rhyfedd oedd nad oedd o wedi meddwl amdani yn y fath fodd o'r blaen. Ar Mr Cŵl yn y bogs yr oedd y bai, yn rhoi ei ddychymyg ar dân.

Aeth y Sul heibio'n debyg i unrhyw Sul hyngofer arall. Sipian dŵr yn ofalus, codi at y dau, yfed te oedd yn blasu fel wermod, gwylio *Western* ddiflas ar y teledu. Roedd Arwel, ei fflatmet, wedi diflannu am y penwythnos. Nes iddo ddychwelyd byddai'n rhaid i Sion ddioddef ar ei ben ei hun. Tua diwedd y pnawn, mentrodd i siop y gornel i nôl peint o lefrith a phapur. Iesgob – oedd ganddo ddigon o bres? Turiodd yn ei boced a llwyddo i grafu digon o geiniogau at ei gilydd – jest abowt – i dalu amdanyn nhw. Roedd o'n siŵr ei fod wedi codi arian cyn mynd allan neithiwr. I lle roedd o i gyd wedi mynd? Yna cofiodd. Y tabledi bach glas yn y clwb nos. Oedden nhw'n dal ganddo fo? Ynteu oedd o wedi breuddwydio'r cyfan? Rhuthrodd adre a thynnu'i bocedi y tu chwith allan. Cyn wiried â phader, roedden nhw yno. Gosododd nhw'n driawd taclus ar y bwrdd bach yn ymyl ei wely. Roedd o wedi cael ei sgŵp! Yna dechreuodd feddwl. Be ddylai o'i wneud nesaf? Mynd â nhw i'r swyddfa? Be os byddai pawb yn chwerthin am ei ben? Mynd â nhw at yr heddlu? Ond doedd o a'r cops ddim ar y telerau gorau. Efallai y câi ei arestio eto. Be os nad Viagra oedden nhw beth bynnag? Wnaeth y boi 'na ddim crybwyll eu bod nhw'n rhywbeth cryfach? Ddylai o fynd â nhw i rywle i gael eu profi? Ond lle? Ysbyty'r Heath? Rhaid bod ganddyn nhw labordy. Ond efallai y bydden nhw'n ei gyhuddo o wastraffu amser. Edrychai'r tabledi mor ddiniwed, yn glwstwr glas o dan y lamp ddarllen. Heb feddwl rhagor rhoddodd un yn ei geg a'i llyncu.

I fod yn gwbl onest, roedd o'n siomedig na ddigwydd-odd dim byd ar unwaith. Roedd o wedi gobeithio troi'n dduw rhyw fel Hank, yn dal efo gwallt melyn a chroen llyfn, yn ddyn cryf na fyddai'n meddwl ddwywaith am chwarae gêm o rygbi (y fo a fyddai'n sgorio pob cais, wrth gwrs), rhedeg mini-marathon, a reidio beic am ryw ddeng milltir ar hugain, CYN llithro rhwng y cyfnasau gyda merch ei freuddwydion (Mari) yn gwybod bod ganddo ddigon o egni ar ôl i garu'n ddi-stop am dair awr a hanner. Ond na, yr un hen Sion Aled oedd o, a'i wallt cringoch, ei goesau crëyr glas, yr awgrym o fol cwrw, a'i wyneb a fyddai'n gwneud y tro fel *Deep Pan Pepperoni* pe bai Pizza Hut yn rhedeg allan o stoc. Ac ymhell o fod yn barod i chwarae rygbi, rhedeg marathon na chymryd rhan yn y *Tour de France*, roedd ei gorff yn dal i wegian dan straen sesh y noson cynt, a'i ben yn curo'n ysgafn o ran sbeit.

Wrth wylio'r teledu yn nes ymlaen y dechreuodd deimlo'n wahanol. Roedd o'n weddol ol reit – cystal ag y gellid ei ddisgwyl wrth wylio pigion gêm rygbi'r diwrnod cynt, ac wrth edrych ar ddyn moel yn darllen y newyddion. Ond pan welodd flonden ganol oed yn cyhoeddi rhagolygon y tywydd dechreuodd deimlo blaengynhyrfiad codiad. Wps! Roedd hi'n hŷn na'i fam o! Lwcus nad oedd Arwel yno i sylwi ar ei embaras.

Pan ddychwelodd Arwel, roedd o bron â marw eisiau peint. "Be amdani, Sion? Un bach tawel cyn amser gwely."

"Ew, na, fedra i ddim. Dw i'n diodde ar ôl yfed gormod neithiwr."

"Ty'd 'laen. *Hair of the dog*. Wneith les i ti."

" 'Sgen i'm pres, ac mae'r twll yn y wal yn bell."

"Bryna i un i ti. Fydd ganddon ni'm amser am fwy. Ty'd!"

Llusgwyd Sion yn erbyn ei ewyllys i'r Corporation, y dafarn agosaf. Er mawr syndod iddo, roedd hi'n llawn. Anaml y byddai'n mentro allan ar nos Sul, ond nid felly weddill trigolion Canton, roedd hi'n amlwg. Roedd hi'n noson karaoke, a nifer wedi heidio yno i drio tynnu sylw at eu talent. Arwel aeth at y bar. Aeth Sion i chwilio am seddi, ond doedd dim rhai sbâr i'w cael. Safodd y tu ôl i'w ffrind yn gwylio'r merched efo'u jin ac oren a fodca a blac. Roedden nhw'n amrywio'n fawr o ran oedran. Rhai yn eu hugeiniau, eraill yn edrych fel pe baen nhw'n rhieni iddyn nhw. Roedd gan y rhan fwyaf ffag yn eu llaw a streips golau yn eu gwallt. Gwthiodd un heibio iddo.

" 'Scuse me, love, can I get to the bar?"

Arglwydd! Teimlodd Sion gynnwrf o dan ei falog. Doedd hen beth hyll fel honna 'rioed yn ei gyffroi? Derbyniodd ei lager heb air a rhuthro eto i chwilio am fwrdd. Wrth lwc roedd cwpwl yn codi i adael.

"Do you mind if I take this seat?" Cyn iddyn nhw gael cyfle i ateb, eisteddodd a thynnu'r bwrdd reit ato.

"Sut benwythnos wnaeth hi?" meddai Arwel.

"Ol reit. Gwaith ddoe a homdingar o sesh neithiwr."

"O ia? Lle?"

"City Arms yn syth ar ôl gwaith, wedyn adre i newid, Pizza Hut, Horse and Jockey ond wnaethon ni ddim aros yn fan'no, O'Leary's, Ship and Castle, Dog and Duck, Bar Sam, Oz a Cococabana."

"Nice one. Efo pwy est ti?"

"Hogan o gwaith."

"O ie?" Winc.

"Dim byd felly." Gwaetha'r modd.

"Ti'n siŵr, rŵan?" Winc arall. Dechreuodd Sion gochi. Ac ow! Teimlodd ei hun yn caledu eto. "Ti 'di mynd yn ddistaw iawn!"

Arswyd, roedd hyn yn beth annifyr! Roedd yn waeth na disgwyl am y bŷs ysgol yng nghanol criw o genod pan oedd yn bedair ar ddeg.

"Mae gan Mari gariad. OK?"

Mwya'r piti. As-s-sgob! Gwelodd Hank yn gafael yn ei llaw a'i llusgo allan o'r clwb, yna dychmygodd ei hun yn yr un sefyllfa, yn methu disgwyl, yn mynd rownd y gornel ac yn gwthio'i hun i mewn iddi yn erbyn y wal. Ac roedd hi isho fo… isho fo… isho fo nes ei bod yn gweiddi ei enw. Roedd y boi cŵl yn iawn, roedd o'n galed fel *steel fucking girder*! Yna cofiodd ei fod yn y Corporation efo Arwel. O'r nefoedd! Sut roedd cael gwared â'r anghenfil yn ei drôns?

Daeth y diwrnod i ben cyn waethed ag yr oedd wedi dechrau. Ei ben oedd yn dyrnu yn y bore, yn ei bidlen yr oedd y boen erbyn yr hwyr. Gallai gladdu'i ben, o leiaf, o dan y gobennydd a dymuno i rywun ei dorri i ffwrdd. Er cymaint o boendod oedd y cyfaill y tu mewn i'w drowsus, doedd o ddim eisiau i hynny ddigwydd iddo fo. Ond mynnai'r coblyn bach digywilydd ei bryfocio a'i atgoffa o'i bresenoldeb bob munud. Roedd o'n ymbil am gael ei gyflwyno i bob merch yn y dafarn. Gwnaeth Sion esgus i fynd adref cyn gynted ag y gallai. Ond codai ei ffrind i salwtio'r gwragedd ar y teledu. A phan estynnodd Arwel y *News of the World*, we-hei! Doedd dim amdani, meddyliodd Sion, ond diflannu i'r gwely. Siawns na fyddai effaith y cyffur wedi diflannu erbyn y bore.

Cafodd noson flinderus, orfoleddus. Roedd o a Mari yn caru yng nghaeau Pontcanna, y tu ôl i berth, a'i siaced yn flanced oddi tani, a'i gorff cydnerth, gwrywaidd yn cysgodi ei bol meddal rhag min gwynt mis Mawrth. Ond roedd hi'n ysu am ei fin o, yn swnian yn dawel amdano, wedi gwisgo syspendars a sanau silc du yn arbennig ar ei gyfer o. Gwahanodd y coesau llyfn, gwyn a sbecian i weld pa ryfeddodau a oedd ganddi o dan y blewiach tywyll. Galwodd hithau'i enw a phlymiodd i mewn iddi – roedd yn galed fel *steel fucking girder* – nes bod ei chorff yn crynu a Phumed Symffoni Beethoven yn cael ei seinio'n fuddugoliaethus ar eu cyfer nhw.

Roedd y freuddwyd yn neis iawn y tro cyntaf, ond erbyn yr ail a'r trydydd tro roedd hi'n colli ei chyfaredd. Roedd y lleoliad wedi newid erbyn hynny o lannau rhamantus Afon Taf i'r gwely sengl yn ei lofft a'r cynfasau'n socian gan chwys. Cynfasau oedd heb gael eu newid ers o leia' fis, a llofft oedd heb ei glanhau'n iawn ers i'w fam fod yn ymweld â fo cyn 'Dolig.

Os oedd wedi disgwyl deffro y bore wedyn wedi ei drawsnewid yn ôl i fab annwyl ei fam, cafodd ei siomi. Roedd ei bidlen wedi deffro o'i flaen – os oedd hi wedi gorffwys o gwbl. Safai'n syth fel soldiwr, yn barod am ddiwrnod o waith. Trueni na fyddai gweddill ei gorff yn teimlo cystal. Griddfanodd Sion wrth agor ei geg a'i orfodi ei hun i godi. Efallai y byddai cawod oer yn rhoi dampar ar bethau. Byddai'n rhaid iddo ddioddef cawod oer ambell dro pan fyddai'r boilar wedi torri a doedd dim byd casach ganddo. Ond yn y fath argyfwng roedd yn fodlon trio unrhyw beth.

Wrth lwc ciliodd peth o'i awch o dan y diferion iasoer. A phan wrthododd y Metro danio a rhoi cyfres o *bunny-hops* rhoddodd ei gyfaill ei ben yn ei blu go iawn. Wedi'r cyfan roedd gan bob pidlen ei hunan-barch hefyd. Ond ar ôl cyrraedd y swyddfa dechreuodd atgyfnerthu. Y person cyntaf a welodd oedd Mari. Roedd gwrid ar ei bochau a gwên ar ei hwyneb, fel pe bai'n dal i swatio yn atgofion nos Sadwrn. Mi fasen ni wedi gallu dangos iddi be ydi amser da go iawn yn basen ni? sibrydodd ffrind Sion wrtho. Teimlodd ei hun yn mynd yn chwys oer drosto, a rhuthrodd y tu ôl i'w ddesg i guddio.

"Cyfarfod pawb!" Galwodd Eluned Ogwr y giwed i gynnal eu defod foreol yn y swyddfa ac eistedd fel brenhines yn y gadair droi. Heidiodd pawb i mewn ar ei hôl. "Mae gen i newyddion pwysig i chi. Rwy' wedi bod yn cwrdd â Huw Elfed Hughes, ac r'yn ni'n dau'n gytûn bod angen gwneud rhywbeth ychwanegol i baratoi'r gwrandawyr ar gyfer etholiadau'r Cynulliad."

"Arddechog. Syniad ardderchog wir," meddai Eric.

"Be wyt ti'n 'feddwl rhywbeth ychwanegol?" gofynnodd Mered. " 'Dan ni'n cael eitemau gwleidyddol ym mhob rhaglen fel y mae hi."

"Nage eitemau ychwanegol wi'n feddwl," meddai Eluned. "Rhaglenni ychwanegol. Rydw i wedi penderfynu y dylai'r adran yma gynhyrchu rhaglen wythnosol, o hyn hyd yr etholiad, yn rhoi cyfle i bobol ifanc ddweud be maen nhw am weld y Cynulliad yn ei gyflawni."

"Pryd bydd y rhaglenni yma'n mynd allan?" gofynnodd Mari.

"Rhwng saith a hanner awr wedi saith ar nos Lun. Ar ôl *Pnawn Da Gwalia*."

"A phwy fydd yn gweithio arnyn nhw?"

"Chi, wrth gwrs. Dyw hi ddim yn lot i'w ofyn, nac yw hi, i chi aros yma am hanner awr fach ychwanegol ar adeg mor dyngedfennol yn hanes ein cenedl!"

"Y!" griddfanodd Mari. "Mae gen i bractis côr bob nos Lun. Ond mi fydd o'n bres ychwanegol, mae'n siŵr. Dipyn o help ar gyfer gwyliau'r haf."

Edrychodd Eluned Ogwr yn ffyrnig. "Rwy'n synnu atat ti, dy fod ti mor ariangar, Mari. Nage gwneud hyn er mwyn arian 'yn ni. R'yn ni'n ei wneud e ar gyfer enw da'r adran. Cyfres o raglenni yn rhoi cyfle i wleidyddion ifanc ddadlau sut y bydden nhw'n ymdrin â phynciau llosg y dydd. Fe fydd hi'n fraint i ni gael cynnig gwasanaeth o'r fath!"

"Wel, mi fydd hi'n hawdd llenwi *Pnawn Da Gwalia* os ydi'r rhaglen newydd yn mynd i gymryd hanner awr," meddai Eric.

Ar ôl *Pnawn Da Gwalia* fydd hi, nid yn ystod," meddai Mered. "Wyt ti'n siŵr nad ydi hyn braidd yn uchelgeisiol? Tîm bach ydyn ni, ac ar ben y rhaglenni dyddiol…"

"Rwy'n siomedig iawn eich bod chi mor negyddol!" meddai Eluned. "Mae rhywun yn gofyn am 'chydig bach o help gyda syniad anturus a fydd yn dod â bri i ni i gyd, a beth wi'n 'gael? Dim ond achwyn a chwyno!"

"Wel, sut mae'r rhaglen yma i fod i weithio, 'ta?" meddai Mered.

"Ti fydd yn ei chyflwyno hi," meddai Eluned, a'i llygaid yn fflachio.

O! Sgwariodd Mered ei ysgwyddau. Cyflwyno! Os felly

doedd gwneud gwaith ychwanegol ddim mor ddrwg!

Edrychodd Maldwyn yn ddig.

"Paid â bod yn siomedig, Mald. Fasat ti'n rhy hen i gyflwyno rhaglen bobol ifanc, beth bynnag," sibrydodd Mered yn ei glust.

"Dyna ddigon!" meddai Eluned yn siarp. "Nawr wi moyn cael panel o bedwar gwleidydd ifanc, un o bob plaid, a chynulleidfa o ryw ugain yn gofyn cwestiynau iddyn nhw. Dy jobyn di, Sion, fydd dod o hyd i'r cynulleidfa-oedd."

"Beth am y paneli? Pwy fydd yn eu ffeindio nhw?" gofynnodd Mered.

"Fe ofala i am y panel cynta. Gawn ni weld ar ôl hynny."

Ast cwshi! meddyliodd yntau. Y cyfan y byddai'n rhaid iddi hi ei wneud fyddai ffonio'r pleidiau a gofyn am eu siaradwyr mwyaf huawdl.

"Pryd mae'r rhaglen gyntaf i fod?"

"Heno!" meddai hi.

Iesgob! Neidiodd hanner yr adran mewn braw. Dyna oedd byr rybudd!

Dechreuodd Sion ei dasg yn weddol frwdfrydig. Roedd unrhyw beth yn well nag ailsgwennu'r un hen straeon dro ar ôl tro. Ond yn fuan, ymddangosai ailsgwennu'n hynod ddeniadol. Doedd ffeindio cynulleidfa ddim mor hawdd ag y tybiai. Dechreuodd efo'r ysgolion Cymraeg.

"Sori. Mae clwb drama 'da ni bob nos Lun," meddai un. "Mae pawb a fyddai'n debyg o fod â diddordeb yn perthyn i hwnnw. Ni'n ymarfer ar gyfer Eisteddfod yr Urdd, chi'n gweld."

"Mae'r pumed a'r chweched yng nghanol eu mocs," meddai un arall. "Fedran ni mo'i styrbio nhw a chymaint o waith ganddyn nhw i'w wneud."

" 'Dyw diwrnod ddim yn ddigon o rybudd," meddai'r nesaf yn blwmp ac yn blaen. "Pe baech chi wedi gofyn yn gynt fe fydden ni wedi ffeindio rhai i chi."

O wel, meddyliodd Sion. Y coleg amdani 'ta. Mae 'na lwythi o stiwdants Cymraeg yng Nghaerdydd. I ffwrdd â fo yn ei Fini Metro tuag at far yr Undeb. Ond dyna siom. Roedd y lle bron yn wag. Ac yntau wedi gobeithio swagro i mewn, crybwyll enw Gwifrau Gwalia a gadael fel y pibydd brith efo dwsinau o fyfyrwyr eiddgar ar ei ôl!

"Sciws mi, dw iw sbîc Welsh?"

Edrychodd y ddau y tu ôl i'r bar arno fel pe bai wedi gofyn am garreg o Mars. *"No, we're from London. But hang on – I think them at that table there are Welsh. Try them."*

"E… esgusodwch fi. Ydych chi'n siarad Cymraeg?"

"Ydym."

Eureka! Roedd 'na bump o gwmpas y bwrdd. Pe bai o'n gallu cael y rhain i gyd i ddod, byddai chwarter ffordd yno.

"Sion Aled o Gwifrau Gwalia ydw i." Edrychodd deg llygad yn ddi-ddeall arno. " 'Dach chi'n gwybod? Ni sy'n gwneud *Bore Da* a *Pnawn Da Gwalia*… Mae ganddon ni raglen newydd yn dechrau heno, a 'dan ni angen cynulleidfa o bobol ifanc i ofyn cwestiynau…"

"Sori," meddai un ferch. "O lle ydych chi'n dod?"

"Gwifrau Gwalia. Yr orsaf radio Gymraeg." Roedd Sion wedi mynd yn goch a'i blorod yn sgleinio. Roedd hyd yn oed ei bidlen wedi colli peth o'i hafiaith.

"Ar honna mae Jonsi a Hywel Gwynfryn a phobol fel'na?"

"Na, efo'r BBC maen nhw. Gorsaf arall ydi hon."

Trodd y ferch at ei ffrindiau. "Gorsaf Gymraeg arall?

Wyddwn i ddim bod 'na un."

"Na fi." Ysgydwodd un arall ei phen fel zombie.

" 'D... d... d... drychwch. Fasech chi'n fodlon bod yn gynulleidfa ar raglen newydd sy'n dechrau heno?"

"Sut fath o raglen yw hi, 'te?"

"Rhaglen wleidyddol i bobol ifanc. I baratoi ar gyfer yr etholiad i'r Cynulliad. Mi fydd ganddon ni banel o wleidyddion..."

"O ie, ni'n foto ar gyfer yr *Assembly* mish nesaf yn 'dyn ni?"

"Dechrau Mai," meddai Sion. " 'Dan ni am roi cyfle i bobol ifanc fel chi i holi'r gwleidyddion..."

"Sa i'n credu 'mod i'n mynd i foddran, fy hunan. Mae *politicians* i gyd 'run peth i fi."

"Boddran be? Fotio ti'n 'feddwl? Na fi. 'Sgen i'm *interest* mewn *politics*."

"Ond mae'n rhaid i chi bleidleisio!" Torrodd Sion ar eu traws mewn sioc. "Mae'n rhaid i chi ddefnyddio'ch pleidlais!"

"Dw i ddim yn gwybod be mae'r pleidiau'n sefyll am, *really*," meddai merch arall.

"Dewch ar y rhaglen heno, ac mi gewch chi gyfle i'w holi nhw!"

"O – 'dach chi ddim isho i ni siarad, nac oes?"

"Wel, dim ond gofyn i'r panel be ydi eu barn nhw ar wahanol bethau. Addysg, er enghraifft."

"Ow mai God, dw i ddim yn dod os bydd rhaid i mi siarad!"

"O, cym on!" crefodd Sion. "Mi fydd yn hwyl. Fedrwn ni i gyd gael peint wedyn."

"Na, sa i'n credu. Mae gormod o waith 'da fi i'w wneud."

"A fi."

"A fi."

A bu'n rhaid i'r pibydd brith adael heb gymaint â llygoden yn ei ddilyn yn ôl i swyddfa Gwifrau Gwalia.

"Faint o gynulleidfa rwyt ti wedi'u casglu hyd yn hyn?" cyfarthodd Eluned arno'n ôl yn y barics.

"Wel..." chwysodd Sion, "... a dweud y gwir wrthych chi, dw i ddim wedi llwyddo i gael gafael ar neb eto..."

"Dim un!" Fyddai'r ddraig goch ei hun ddim wedi chwythu mwy o fflamau. "Beth wyt ti wedi bod yn ei wneud gydol y dydd? Ti wedi cael bore cyfan i chwilio, a ti ddim wedi cael gafael ar unrhyw un?"

"Dw i... dw i wedi ffonio pob un o ysgolion Cymraeg yr ardal yma. R... roedden nhw'n dweud... os... os fasan nhw wedi cael mwy o rybudd, neu bod hi ddim yn nos Lun, y gallen nhw fod wedi trefnu rhywbeth..."

Brasgamodd Eluned ato'n fygythiol. "Alla i ddim dioddef rhywun sy'n gwneud esgusion! Gwae ti os na fydd 'na ugain o bobol yn y stiwdio 'na erbyn saith o'r gloch!"

"Paid â phoeni, wnaiff y stiwdio ddim dal ugain, a chyn belled â bod 'na ddigon i ofyn cwestiynau fydd yr hen sarffes ddim callach." Mari oedd yn sibrwd yn ei glust, y dduwies odidog Mari, a'i phytiau o synnwyr cyffredin fel perlau yng nghanol ei dywyllwch.

"Ond Mar, 'sgen i ddim un ar hyn o bryd!" Roedd Sion yn agos at ddagrau. "Fedra i ddim twyllo'r hen sguthan na neb arall os nad oes un person o gwbl yn y stiwdio!"

" 'Drycha blodyn." Daeth Mari ato a rhoi ei braich am ei ysgwydd. O Fari odidog, ysblennydd! Dechreuodd ei bidlen gynhyrfu unwaith eto. "Mae'r côr i fod i ymarfer am saith. Mi ffonia i rownd i weld a fedran nhw ohirio am hanner awr. Mi fedar rhai ohonyn nhw ddod i'n cael ni allan o dwll wedyn."

O'r angyles! Roedd hi'n glyfar yn ogystal â hyfryd! Llifodd ton o ddiolchgarwch dros Sion. MA-RI! MA-RI! MA-RI! Llamodd ei *sidekick* i fyny i ddangos ei fod yntau'n ei gwerthfawrogi hefyd.

* * *

Am chwarter i saith roedd y stiwdio, os nad yn llawn, yn cynnwys digon o bobl i dwyllo'r rheini nad oedden nhw'n gwrando'n rhy astud i gredu bod 'na griw o bobl ifanc brwd yno, yn barod i dynnu'r panelwyr yn gareiau. Roedd pum cadair wag yn eu hwynebu – un i Mered a'r gweddill i'r gwleidyddion. Ni fu'n rhaid disgwyl yn hir am y cyflwynydd, a'i osgo hanner ffordd rhwng Paxman a Casanova. Fe'i dilynwyd gan ddwy ferch. Esther Daniel, un o ymgeiswyr Plaid Cymru oedd un. Jane Davies, cefnogwraig yr oedd y Democratiaid Rhyddfrydol wedi ei darganfod yn arbennig ar gyfer y rhaglen oedd y llall. Gwahoddodd Mered nhw i eistedd o boptu iddo.

"P'run mae'r diawl yn ei ffansïo, ti'n meddwl?" sibrydodd Mari wrth Sion.

Ffansïo? Hm, mae'r hogan Plaid Cymru 'na'n ol reit, tydi, awgrymodd ei gyfaill. Siwt smart, gwallt ffynci, hogan sy'n gwybod i lle mae hi'n mynd. Ar y llaw arall, sbia ar y Lib Dem – gwallt hir, ffrog flodeuog, mae hi'n neis hefyd. Taw! Lawr! meddyliodd Sion yn flin. Roedd o'n dechrau cael llond bol ar ei bidlen. Caeodd ei lygaid a meddwl am ei fam. Dyna'r tric gorau mewn amgylchiadau o'r fath, yn ôl y sôn.

"Gyfeillion, ydi pawb yma?" Brasgamodd Eluned Ogwr i'r stiwdio, a gŵr ifanc mewn crys denim *designer* ar ei hôl. "Rwy' am i chi gyfarfod Myfyr Elidir. Fe fydd yn cynrychioli'r Blaid Lafur ar ein rhaglen ni heno. Mae e'n newydd i'r byd gwleidyddol Cymraeg, ond does dim amheuaeth na fyddwn ni'n clywed llawer mwy amdano fe!"

Gwenodd Myfyr yn seimllyd ac eistedd yn ymyl Esther Daniel.

"Lle mae'r Tori?" gofynnodd Mered, ag un llygad ar y cloc. Pum munud oedd i fynd.

Aeth Eluned yn welw. "Y... y... y... mae'n rhaid ei fod e'n hwyr. Neu wedi anghofio. Rwy'n siŵr eu bod nhw wedi cael gwahoddiad fel pawb arall. Mari, gymrest ti alwad gan y Torïaid yn cadarnhau pwy fyddai'n cymryd rhan?"

"Wnaeth 'run ohonyn nhw fy ffonio i," meddai Mari.

"O diar," meddai Eluned, gan droi at y gynulleidfa. "All rhywun ein helpu ni?" galwodd yn wyllt. "Oes rhywun yma'n perthyn i'r Torïaid? Neu'n eu cefnogi nhw? Oes rhywun yn fodlon bod yn Geidwadwr am y noson?" Ysgydwodd pawb ei ben. "Esgusodwch fi am funud, 'te," meddai Eluned a chwyrlïo allan o'r stiwdio. Pedwar munud i saith... tri munud... dau... a dim sôn amdani hi na'i Thori.

"Ti isho go ar y top, Mered?" gofynnodd Now o'r caban rheoli.

"Na, mi fentrwn ni heb bractis," meddai yntau'n hyderus.

Munud i fynd... gwasgodd Now fotwm fel bod pawb yn clywed Wilias yn cloi *Pnawn Da*. Hanner munud... deg eiliad...

Bong! Cychwynnodd yr arwyddgan yn urddasol.

"Noswaith dda, a chroeso i gyfres newydd sbon yma ar Gwifrau Gwalia, cyfres a fydd yn eich helpu chi i benderfynu dros bwy i bleidleisio yn yr etholiad ymhen ychydig wythnosau."

Bong!

"Ac ar y rhaglen heno mae 'na bed... dri o bobol ifanc yn barod i ateb eich cwestiynau chi. Noswaith dda Esther Daniel o Blaid Cymru, Jane Davies o'r Democratiaid Rhyddfrydol a..." Cliriodd Mered ei wddw gan sylweddoli nad oedd ganddo syniad pwy oedd y boi arall.

"Myfyr Elidir, o'r Blaid Lafur." Neidiodd Myfyr i'r adwy cyn y Bong olaf.

"Diolch, Myfyr. Rydyn ni'n disgwyl cynrychiolydd o'r Blaid Geidwadol yma hefyd, ond am y tro dewch i ni fwrw 'mlaen â'n cwestiwn cyntaf."

"Be mae'ch plaid chi'n ei wneud i drio apelio at bobol ifanc?" Dechrau da gan ffrind gorau Mari.

"Gwario mwy ar addysg. Buddsoddi i greu swyddi," meddai Esther Daniel.

Digon tebyg oedd barn Jane Davies, ond ei bod hi eisiau ychwanegu y byddai pobol ifanc y wlad i gyd ar ben eu digon unwaith y byddai system ethol PR mewn grym. Rhoddodd Myfyr Elidir araith huawdl ynglŷn â'r gobaith newydd yr oedd y Blaid Lafur wedi'i roi i bobl fel y fo, am y cyfleoedd newydd a oedd yn mynd i godi gyda dyfodiad y Cynulliad, a sut y byddai'r aelodau ifanc, brwdfrydig a fyddai'n cael eu hethol iddo'n siŵr o gipio calonnau'r genhedlaeth ifanc. Fel yr oedd Mered ar fin gwahodd yr ail gwestiwn, torrwyd ar eu traws gan Eluned yn arwain hen, hen ddyn i'r gadair wag.

"Humphrey Rogers. Tori," sibrydodd.

"Ac rydw i'n falch rŵan o groesawu Tori aton ni. Diolch am ymuno efo ni Humphrey Rogers. Sut basach chi'n denu pobol ifanc i bleidleisio drostach chi?" gofynnodd Mered.

"E?" tuchodd Humphrey, gan fodio'i *hearing aid*.

"Sut basach chi'n cael pobol ifanc i bleidleisio i'r Ceidwadwyr?" gwaeddodd Mered, a'i lais yn diasbedain.

"Ffycing hel, howld on, Mered," meddai Now, gan ffidlan yn wyllt efo rhyw nobiau.

"Pobol ifanc? Pleidleisio?" crawciodd Humphrey, a oedd ymhell dros ei bedwar ugain. "Sa i'n credu bod pobol ifanc ffit i bleidleisio. *Drugs* a *vandalism*, na'r oll ma'n nhw ymbiti. A'r merched! Dishgwl babis yn bymtheg oed a dishgwl i'r wlad eu cadw nhw! So nhw ffit! So nhw ffit *at all*".

"Wel, efallai bod hynny am eu bod nhw'n credu nad oes gan y wlad ddim i'w gynnig iddyn nhw," meddai Mered.

"E... sa i'n clywed chi..."

"Sut basach chi'n newid y sefyllfa?"

"O... fi? Fi'n credu dyle pawb joinio'r armi. Gwneud eu *National Service* fel roedd rhaid yn 'y nyddie i. Fydde hynny'n rhoi tipyn o ddisgybleth iddyn nhw! Does ryfedd bod dynion y wlad mas o waith, y merched sy wedi mynd a dwyn eu jobs nhw!"

"Esgusodwch fi. Dw i'n credu mai un o'r rhesymau pam nad yw pobol ifanc yn cymryd diddordeb mewn gwleidyddiaeth yw bod cymaint o ddeinasoriaid fel chi, sy'n credu'r fath rwtsh, yn dal i fodoli," meddai Esther.

"Yn hollol." Gwelodd Myfyr ei gyfle i fod yn PC. "Mae'r Blaid Lafur wrth gwrs wedi gwneud popeth o fewn ei gallu i roi cyfle teg i ferched. Ni ydi'r unig blaid sydd wedi mabwysiadu system efeillio, i gael nifer cyfartal o ddynion a merched yn sefyll..."

"Nifer cyfartal – ba! Chi sosialwyr yn meddwl ymbiti dim ond cyfartaledd. Fydde'r byd wedi dod i stop pe bai pawb yn gyfartal. Dim ond cawlach fydde wedi dod o bethe. Mae Duw wedi rhoi rhai ohonon ni ar y ddaear i reoli ac eraill i wasanaethu..."

"Mr Rogers, does dim rhaid bod yn sosialydd i gredu mewn cydraddoldeb i ferched," meddai Myfyr gan ei longyfarch ei hun ar ei gywirdeb gwleidyddol.

"Ba – dyna beth 'ych chi i gyd. Hen Lafur neu Lafur Newydd does dim gwahanieth... 'rhoswch funud..." Dechreuodd yr hen ŵr astudio wyneb Myfyr yn ofalus. "Rwy'n eich nabod chi o rywle. Cynhadledd y Ceidwadwyr Cymreig yn *nineteen ninety-five*. So fi byth yn anghofio gwynebe... Roeddech chi'n siarad yn un o'r *fringe meetings* yn doeddech chi? Siarad am beth oeddech chi nawr..."

"Cwestiwn nesaf! Cwestiwn nesaf," sgrechiodd Eluned Ogwr o'r blwch rheoli.

"Chi wedi troi at Lafur nawr 'te'r bradwr bach, y Jiwdas..."

"Dyna ddigon, mi awn ni ymlaen â'r cwestiwn nesaf," meddai Mered i geisio tawelu'r dyfroedd.

Herciodd y rhaglen yn ei blaen yn sigledig. Dim ond y merched oedd yn siarad gydag unrhyw argyhoeddiad gwleidyddol. Doedd gan Myfyr Elidir fawr o ddiddordeb mewn dim ond hyrwyddo'i hun. Doedd gan Humphrey Rogers fawr o ddiddordeb mewn dim oedd wedi digwydd ar ôl 1945.

"Rwy'n teimlo y gallet ti fod wedi cadw gwell trefn ar bethe," cwynodd Eluned wrth Mered ar ôl i bopeth ddod i ben.

"Gwell trefn? Be oeddet ti'n 'ddisgwyl a thitha wedi trefnu'r fath siop siafins!" bytheiriodd yntau. "Pwy ar wyneb y ddaear ydi Myfyr Elidir? Ers pryd mae o'n cynrychioli'r Blaid Lafur? A blydi Humphrey Rogers!

O lle y llusgaist ti o? Tydi o ddim yn perthyn i'r Torïaid chwaith. Mi gafodd o'i ddiarddel ganddyn nhw ddeng mlynedd ar hugain yn ôl am ei fod o'n nytar. Mi aeth y diawl i Dde Affrica fel *mining consultant* ond mi ddaeth yn ôl i'r wlad yma ar ôl i apartheid ddod i ben. Cwyno'i fod o'n gorfod talu i'r bobol ddu i weithio iddo fo wedyn!"

"Nage 'mai i oedd bod neb yn swyddfa'r Ceidwadwyr wedi dod yn ôl ata i. Fe safodd Humphrey mewn drostyn nhw ar y funud ola. Ac mae e'n byw yn agos i'r stiwdio!" sgrechiodd Eluned.

"Clyw y ddau yna'n cega!" Rhoddodd Mari bwniad bach yn asennau Sion Aled.

Mmmm. Gwna hynna eto, Mar. Teimlodd Sion ei bidlen yn stwyrian. Ond roedd o'n cael cymaint o foddhad yn gwrando ar Mered yn bwrw'i lid ar Ms Ogwr fel nad oedd o'n poeni rhyw lawer.

PENNOD 6

"LLE MAE'R ELLIS WYNNE 'NA? Dw i eisiau'i weld o AR UNWAITH!" Rhuthrodd Huw Elfed Hughes i mewn i'r stafell, a'i geg yn ffrothio a'i chwe gên yn crynu gan ddicter.

"D... d... dydi o ddim yma." Ar ôl noson arall o freuddwydion gorffwyll, roedd Sion Aled yn wyn fel y galchen a'i blorod yn sefyll allan fel goleuadau coeden 'Dolig. Doedd gweld y bòs mawr yn y fath dymer ddim yn gwneud iddo edrych ddim gwell.

"Lle mae o?"

"M... m... mae o wedi mynd i 'Merica..."

"Huw, dyna hyfryd dy weld ti!" Brasgamodd Eluned Ogwr o'r swyddfa wydr fel paun. "Mae Ellis wedi mynd i Galiffornia. Rwy'n siŵr 'mod i wedi dweud wrthyt ti'r dydd o'r blaen. Mae o wedi cael *freebie* i fynd i weld rhyw ffilm. Blocbystyr ddiddychymyg fel y rhan fwya o gynnyrch Hollywood mae'n siŵr." Crychodd ei thrwyn. "Mae'n siŵr y bydd e'n ôl unrhyw ddiwrnod nawr. Yn y cyfamser fi sydd yn gofalu am yr adran."

Edrychai llygaid Huw Elfed Hughes fel pe baen nhw ar fin dod allan o'i ben. "Felly ti oedd yn gyfrifol am yr... yr erthyl o raglen yna neithiwr!"

"Erthyl?" pesychodd Eluned yn ddelicet. "Pa raglen? Doeddwn i ddim yn meddwl bod 'run o'n rhaglenni ni ddoe yn rhy wael."

"Y fforwm trafod bondigrybwyll 'na ar gyfer pobol

ifanc!" taranodd Huw Elfed. "Doedd hi ddim ffit!"

"O, ym..." Edrychodd Eluned o'i chwmpas yn chwilio am rywun i'w feio. "Wel, be yn hollol oedd o'i le arni?"

"Y cyfranwyr! Lle ar wyneb y ddaear y cefaist ti hyd i gyfranwyr mor sâl?"

"O, y pleidiau eu hunain a awgrymodd y rhan fwyaf ohonyn nhw. Eu problem nhw yw hi os nad oes ganddyn nhw well cynrychiolwyr yntê?" meddai Eluned. "Mae Esther Daniel yn ymgeisydd Plaid Cymru ar gyfer y Cynulliad, ac mae'r ferch 'na a anfonodd y Democratiaid Rhyddfrydol..."

"Nid y nhw! Y mwnci mul Myfyr Elidir 'na oedd yn cymryd arno'i fod yn cynrychioli Llafur. O lle y daeth o? Paid â dweud mai'r blaid a wnaeth ei gynnig o. Maen nhw wedi bod ar y ffôn y bore 'ma'n cwyno. Mi ddywedodd o sawl peth oedd yn groes i'w polisïau, meddan nhw, a tydi o ddim yn perthyn iddyn nhw beth bynnag."

"Nawr, Eifion. Dw i ddim yn credu bod hynna'n deg. D'yn nhw ddim yn deall shwt fachgen ifanc galluog yw e! Ychydig mwy o ymddangosiade ar raglenni fel ein rhai ni ac fe aiff e'n bell iawn."

"Ddim ein lle ni ydi hyrwyddo *upstarts* sydd eisiau bod yn wleidyddion! Ac ar ben hynny y Ceidwadwr! Roger Humphreys! Dw i'n gobeithio nad oedd 'na'r un Tori'n gwrando neu mi fydd fy ffôn i fel procer poeth toc!"

"Ond mae Humphrey'n siaradwr da!"

"Tydi o'n da i ddim ond i siarad am ei Alzheimers! Pa fath o orsaf radio wyt ti'n meddwl rydan ni'n ei rhedeg – radio ysbyty? Dw i'n synnu dy fod ti, o bawb, wedi gallu cynhyrchu'r fath sothach, Eluned. Mae gen i ofn na fedra i ganiatáu i weddill y gyfres gael ei ddarlledu!"

"Ond fedri di ddim cael gwared ohoni, Huw!" (Y gwarth!)

"Medraf!"

"A'r holl waith caled wedi mynd i mewn iddi'n barod."
(A ninnau wedi rhoi trêl i'r rhaglen nesa!)

"Fedra i ddim caniatáu carthion, Eluned."

"O, plis, Huw, tyrd i'r swyddfa i ni gael gair bach yn breifat. Rwy'n siŵr y gallwn ni ddod i ryw fath o ddealltwriaeth…"

Aeth y ddau i'r stafell wydr a chau'r drws yn glep.

"Fedra i ddim mynd ymlaen fel hyn," griddfanodd Eluned ar ôl cwympo i'w chadair yn felodramataidd. Pinsiodd ei hun yn galed o dan y ddesg i ddod â dagrau i'w llygaid. "Fedra i ddim cario 'mlaen, mae'r straen yn ormod. Mae Ellis wedi mynd a'n gadael ni… alle fe ddim bod wedi dewis amser gwaeth, rhwng popeth. Ma' 'da ni'r etholiad mewn ychydig wythnose ac mae'r Blaid Lafur bownd o fod yn sensitif am eu bod nhw wedi colli un o'u hymgeiswyr! Fi sy'n gorfod gwneud yn siŵr fod popeth yn cael sylw teilwng, ar ben gwneud fy ngwaith fy hun." Gwasgodd y deigryn allan gydag ymdrech nes ei fod yn gwthio'i ffordd drwy'r powdwr a'r paent i lawr ei grudd.

Edrychodd y bòs braidd yn bryderus. "Wel, be wyt ti eisiau i mi ei wneud?"

"O, Huw, tipyn o help ychwanegol fydde'n fendith! Fedra i ddim gwneud popeth fy hunan, er ti'n gwybod y byddwn i pe medrwn i. Ti'n fy nabod i'n ddigon da. Fe fyddwn i'n gwneud unrhyw beth dros yr orsaf hon!"

Os oedd Eluned yn cymryd arni ei bod hi dan y don am ei bod yn gweithio mor galed, roedd Sion Aled yn teimlo'n isel go iawn. Cael codiad oedd yn poeni dynion fel arfer; cael gwared ohono oedd problem Sion. Roedd codiad yn beth gwych yn y lle a'r amser iawn. Gyda Mari yn ei freichiau (neu unrhyw un arall, pe bai hi'n methu

gweld ymhellach na gwallt melyn a chyhyrau Hank),
byddai'n gweddio ar ei ffrind i beidio â'i adael i lawr. Ond
roedd synnwyr i bopeth. Roedd wedi gweld yr hirgron yn
amlach yn ystod y deuddydd diwethaf nag a wnaeth yn y
ddwy flynedd flaenorol. Byddai'n sefyll, yn rêl llanc, pan
fyddai'n deffro yn y bore. Byddai'n codi i edrych bob tro
y byddai merch ar y teledu. A phan fyddai'n dod ar draws
merched cig a gwaed – wel! Ysai Sion am y falwoden
fach fewnblyg a oedd yn arfer hongian rhwng ei goesau.
I wneud pethau'n waeth fedrai o ddim dweud wrth neb
am ei broblem. Daeth i'r casgliad bod dau beth posib y
medrai o'u gwneud. Mynd at y doctor neu fynd am sesh.
Penderfynodd ar yr ail. Fedrai o ddim wynebu'r doctor
yn ei fyseddu a'i fodio. Ac roedd o'n gwybod bod y ddiod
gadarn wedi bod yn rhwystr i amryw o hogia Aber yn eu
dydd. Er na fu erioed yn y fath sefyllfa ei hun, roedd 'na
jôcs cas am nifer o fechgyn nad oedden nhw ddim cystal
carwyr ag y bydden nhw'n dymuno bod ar ôl cael boliad
o gwrw. Gobeithiai Sion y byddai'r lysh yn cael yr un
effaith arno fo.

Doedd hi mo'r adeg orau i drefnu noson allan. Doedd
Mari ddim yn gallu dod am ei bod yn gweithio'n hwyr.
Doedd o ddim eisiau gofyn i Heledd Haf, rhag ofn iddo
landio mewn rhyw *wine bar* ponsi yn dre yn yfed
Chardonnay. Roedd Arwel yn mynd am sesh efo'r Clwb
Rygbi. Byddai croeso i Sion ymuno â nhw, ond gwrthod
wnaeth o. Roedd ganddo ormod o ofn y byddai'n rhaid
iddo sefyll ar ben rhyw fwrdd, ei drowsus am ei fferau,
a'i bidlen chwyddedig yn gweiddi *Hello boys!* efo winc ar
y barmed.

"Pam na ofynni di i Bethan?" awgrymodd Mari. "Mi
fydd hi wedi cyrraedd yma erbyn y nos ac yn falch o

gwmni dw i'n siŵr. Mae hi'n licio'i lysh cystal â neb."

Un o weithwyr Gwifrau Gwalia yn y gogledd oedd Bethan, a hanner awr a dwy neu dair galwad ffôn ar ôl i sgwrs Eluned Ogwr a Huw Elfed Hughes ddod i ben, roedd hi, yn gwbl groes i'w hewyllys, yn pacio'i bag i ddod i Gaerdydd. Roedd hi wedi cael gorchymyn i fynd yno i ysgafnhau baich Eluned Ogwr druan. A dyna sut y cafodd Sion ei hun am saith o'r gloch yn eistedd yn yr Half Way yng nghwmni merch nad oedd o prin yn ei nabod. Roedd hi'n gysur gweld mai hogan-yfed-peintiau oedd hi. Mynnodd fynd i'r bar gyntaf, a dod yn ôl efo lager yn llifo'n braf dros ymyl y gwydrau.

"Fyddi di'n dod i Gaerdydd yn aml?" gofynnodd Sion, gan dynnu'r bwrdd reit ato i guddio'i chwydd.

"Cyn lleied byth ag y medra i," meddai Bethan yn sychlyd. "Oeddwn i'n reit *pissed off* pan ffoniodd Huw Elfed yn mynnu 'mod i'n dod yma. Pwy uffar mae Eluned Ogwr yn 'feddwl ydi hi? Does neb arall yn cael help pan mae ganddyn nhw fymryn o waith ychwanegol!"

"Oedd gen ti blania ar gyfer yr wythnos yma?"

"Dw i'n cael 'y mhen blwydd heddiw. Oeddwn i a 'nghariad wedi bwcio bwrdd yn y Bistro yn Dre i ddathlu."

"O... ym... llongyfarchiadau. Mae'n ddrwg gen i. Pen blwydd hapus. Sori," meddai Sion.

"Paid â phoeni, doeddet ti ddim i wybod. A deud y gwir dw i'n ddiolchgar i ti am fy ffonio i. O leia' dw i allan rŵan 'tydw? Fedri di feddwl am rwbath gwaeth na threulio dy ben blwydd yn dri deg un ar dy ben dy hun mewn dinas ddiarth?"

Gallai, a dweud y gwir, ond doedd o ddim am ymhelaethu. "Ti'n dri deg un wyt ti? Ti ddim yn ei edrych o!"

Chwarddodd Bethan yn eironig. "Nac ydw i? Diolch i ti am ddeud. Ond, a deud y gwir dw i'm yn poeni am fy oed. Yr unig beth ydi bod Russ, 'y nghariad i, yn meddwl y dylwn i setlo lawr a dechra callio. Dw i'n amau'i fod o isho babis. Mae o'n dri deg pump, cofia."

Prin y gallai Sion ddychmygu bod yn ei dridegau heb sôn am fod isho babis. Ond roedd darn arbennig o'i gorff ar dân eisiau gwneud babis. Roedd hi'n hen bryd rhoi dampar arno. "Gad i mi brynu diod pen blwydd i ti," meddai. "Be gym'ri di?"

"Asu, dim ond hanner ffordd drwy hwn ydw i. Ond peint o lager os gweli di'n dda. Diolch i ti."

Aeth y noson heibio'n ddigon difyr. Roedd Bethan yn ffansïo sesh a hanner, wir, i wneud i fyny am golli noson yn y Bistro efo Russ.

"Chdi 'di'r unig un o griw Caerdydd fydd yn mynd allan?" gofynnodd. "Be 'di hanes Mered dyddiau yma?"

"I'r Prins O' Wales y bydd o'n mynd fwya," meddai Sion. Roedd ganddo ychydig o barchedig ofn Mered, a oedd bob amser mor huawdl a sicr ohono'i hun, ond cytunodd i fynd i'w local i chwilio amdano gan fod Bethan yn awyddus i'w weld.

"Twt, blyff ydi Mered i gyd," meddai hi. "Mae o'n hen foi iawn yn y bôn. Ydi o'n byhafio?"

Doedd Sion ddim yn gwybod. Roedd 'na ddigon o sibrydion am ei fisdimanars, ond doedd o'i hun ddim wedi bod yn dyst i unrhyw beth.

Cafodd y ddau eu siomi ar ôl cyrraedd y Prins O' Wales. Doedd Mered ddim yno. Yn wir, roedd y lle bron yn wag. Ond mi gawson nhw beint yno, i arbed siwrnai ofer. Ar fin ei orffen roedden nhw pan ddaeth hen ffrind Bethan i mewn.

"Mered!" meddai hi, gan godi llaw yn wyllt.

"Bethan! Be wyt ti'n 'wneud yma?" Daeth ati a rhoi clamp o sws ar ei boch. "A be ti'n dda allan efo'r crinc yma?"

"O, mae'r crinc yn gorfod gwneud y tro am heno," meddai hithau dan chwerthin. "Dw i wedi dod i Gaerdydd i helpu Eluned Ogwr."

"Helpu Eluned Ogwr, myn uffar i!"

"Ia, be mae'r hen wrach yn ei wneud drwy'r dydd?"

"Eistedd ar ei phen-ôl yn trio bod yn bwysig. Meddwl ei bod hi'n perthyn i Roialti jest am ei bod hi'n byw yn yr un stryd â rhieni-yng-nghyfraith y *Leader of the Opposition.*" Llamodd calon Sion Aled wrth glywed y Prif Ohebydd Gwleidyddol yn lladd ar Eluned. Pan fyddai o'n berchen ei gwmni darlledu ei hun, byddai'n rhoi job dda i Mered.

"Deuda wrtha i, Mered bach, pam dy fod ti'n gweithio mor hwyr? Oeddwn i'n meddwl y basat ti'n *hammered* erbyn hyn," meddai Bethan.

Aeth wyneb Mered yn ddu. "Y blydi coc oen Eric yna. Mi fyddai gan sioncyn gwair well syniad sut i gynhyrchu rhaglen. Mae'r diawl yn ddigon i wneud i ddyn fynd i yfed... sy'n fy atgoffa i. Dw i heb gael diod eto. Be gym'rwch chi?"

"Peint o lager, plis," meddai Sion a Bethan fel deuawd.

"Hm. Oeddwn i angen hwnna," meddai Mered wrth ddychwelyd o'r bar a drachtio'n ddwfn o'i wydr. "Iechyd da!"

Hir oes *brewer's droop*, meddyliodd Sion.

"Be mae Eric wedi'i wneud i ti, 'ta," gofynnodd Bethan. "Dw i 'rioed wedi'i gyfarfod o. Mae'n swnio'n rêl wancyr."

"Mae o'n insylt i wancyrs," meddai Mered yn sarrug.

"Y drwg ydi, does ganddo fo ddim syniad be mae o isho yn ei raglenni. Oedd pawb yn cytuno ddechrau'r pnawn 'ma 'mod i i weithio ar sbeshal ar be fydd Llafur yn ei wneud os na ddaw Pico Parry i'r fei. Wel, erbyn chwech roedd Eric yn panicio nad oedd ganddo fo eitem wleidyddol ar gyfer y bore. Y gwir amdani oedd bod ganddo fo *bugger all* arall ar gyfer y bore chwaith. Felly roedd rhaid i mi wneud rhyw stori goc ynglŷn â Lib Dems Sir Fynwy. Ac ar ôl i mi'i gorffen hi roedd gan y diawl bach y *cheek* i ddweud y byddai hi'n cael ei gollwng pe bai rhywbeth gwell yn codi."

"Mewn geiria eraill, ti 'di bod yn gwastraffu amser yfed gwerthfawr?"

"Hollol. Peint arall? Asu, dw i'n sychedig." Heb ddisgwyl am ateb aeth Mered i'r bar.

Tywalltodd y tri ragor o lager i'w cegau.

"Does 'na ddim hwyl i'w gael yma fel yn swyddfa Caernarfon, felly," mentrodd Bethan.

"Iesu, nac oes. Mae'r criw yma'n cymryd eu hunain ormod o ddifri. Nid ti, wrth gwrs, Sion." Roedd yn rhaid i Sion gael ei esgusodi nawr ei fod yn gyd-yfwr. "Ond am y gweddill! Heledd Haf! Fasach chi'n meddwl mai hi ydi pennaeth y *Nine O'Clock News*. Ac Eluned Ogwr! Tasa Meiledi'n byw yn Ffrainc fasa hi 'di cael y gilotin erstalwm!"

"Tydi Eric ddim yn swnio'n rhy ddrwg o'i gymharu â'r ddwy yna!"

Ysgydwodd Mered ei ben mewn anobaith. "Slej ydi Eric. Tasat ti'n tynnu'r wadin allan o'i ben o fydda 'na ddim byd ar ôl."

"Ti'n gwybod be fasa'n hwyl?"

"Be?"

"Chwarae tric arno fo."

"Pa fath o dric?"

"Dw i'm yn gwybod. Gad i mi fynd i'r bar, i feddwl... Os ydi o gymaint o isho stori wleidyddol, be am wneud un i fyny." Sodrodd Bethan dri pheint arall ar y bwrdd.

"Iesu na. Fi fyddai'n cael fy ngalw allan i'w gwneud hi."

"Diffodd dy fobeil. Fydd neb yn gallu cael gafael arnat ti wedyn."

"Mae gen i beiriant ateb, Beth bach."

"Twt, ei di ddim adra tan amser cau, na wnei. Fydd hi'n rhy hwyr i ti ffonio'r swyddfa wedyn. Be ti'n 'feddwl, Sion? Ti'n gêm?"

"Dw i'n barod am rwbath." Roedd y cwrw'n dechrau mynd i ben Sion. Yn anffodus doedd o ddim yn cael effaith ar unrhyw ran arall o'i gorff.

"Ffonia Eric, Mered, a deud mai Pico Parry wyt ti. Cynnig egsclwsif iddo fo."

"Neith o nabod fy llais i. A hyd yn oed tasa fo ddim, mi allen ni gael hasl gan y cops. Mi allen nhw ffeindio o lle daeth yr alwad."

"O cym on. 'San ni ddim yn cael ein dal ar ôl un alwad. Be amdanat ti, Sion?"

"Tydi'r cops ddim yn licio fi fel y mae hi," meddai Sion.

"Nac ydyn. Ti'n siarad efo *Spiderman* Cymru'n fan hyn. Cael ei ddal yn torri i mewn i dŷ Pico Parry," pryfociodd Mered.

"Dw i'n meddwl eich bod chi'ch dau yn *hopeless*. Os na wnewch chi ffonio, mi wna i."

"Fedri di ddim cymryd arnat fod yn Pico, na fedri, cariad?"

"Pam?"

"Wel, hogan wyt ti 'de? Hogan ddel iawn hefyd. Ond 'sat ti ddim yn swnio ddim byd tebyg iddo fo."

"Paid â bod yn secsist! Eniwe, dw i wedi blino yfed yn fan hyn. Dewch i ni fynd i rywle arall."

"Ond newydd nôl peint wyt ti."

"Mi gleciwn ni o!"

"Lle wyt ti isho mynd?"

"Dwn i'm. I'r dre? I'r docs? Dw i ddim isho treulio 'mhen blwydd fel rhech wlyb mewn local ddistaw."

Roedd clywed bod Bethan yn cael ei phen blwydd yn esgus i Mered roi sws arall iddi, ar ei gwefus y tro hwn. Sws braidd yn hir gan ddyn priod i ferch oedd yn canlyn, meddyliodd Sion. Ond Ow! Biti nad oedd gan yntau'r gyts i ofyn am un. Tynnodd ei siwmper i lawr i guddio'i falog. Cleciodd y tri eu peintiau a mynd allan i chwilio am dacsi.

"Dw i'n dêrio chdi," meddai Bethan ar ôl dwy rownd arall, "i ffonio'r swyddfa a deud bod Michael Owen wedi ymddiswyddo."

"Ydi o?" gofynnodd Sion mewn braw.

"Nac ydi'r lembo. Ond 'sa'n laff gweld eu hwynebau nhw yn y swyddfa 'tasan nhw'n meddwl ei fod o."

"Ond 'san nhw'm yn coelio."

"Pam?"

"Achos dw i'n sloshd."

"Wyt. Mered, be amdanat ti?"

Doedd Mered ddim yn sloshd. Roedd y lleill wedi cael hed start arno fo. "Beryg y basan nhw'n nabod fy llais i."

" 'Sat ti'n swnio'n wahanol ar y ffôn."

"Ddim mor wahanol â hynny."

"Dw i'n meddwl eich bod chi'n hen gachgwn, y ddau ohonach chi."

"Ffonia di nhw, 'ta."

"Fi?"

"Ia."

"Be faswn i'n 'ddeud?"

"Deud bod Michael Owen 'di ymddiswyddo 'te. Duw, neith neb dy goelio di, beth bynnag. Ti ddim yn cael dau ysgrifennydd gwladol yn rhoi'r ffidil yn y to mewn llai na blwyddyn."

"Ia?" Edrychodd Bethan yn ddisgwylgar ar Mered.

"Ia."

"Be ti'n feddwl, Sion?"

"Uffar o syniad da." Cododd Sion ei wydr at ei wefusau, ond methu, a thywallt afon o lager i lawr ei ên."

" 'Dach chi'n meddwl y dylwn i go iawn?"

"Pam lai? Dy ben blwydd di ydi hi."

"Pwy ddeuda i ydw i?"

"Deud mai chdi ydi PA Michael Owen. Deud ei fod o 'di ymddiswyddo ar ôl ffrae fewnol. Y blaid yn ganolog isho dewis olynydd i Pico'n reit sydyn. Polyfilla yn y cracs. Ddim isho i neb feddwl bod dim byd o'i le. Y Blaid Lafur Gymreig isho dal arni, rhag ofn iddo fo ymddangos o rywle."

"Ti'n meddwl y gweithith hynna? Be sy isho i mi alw'n hun?"

"Alison ydi enw PA Meic. Go on – gen ti lais tebyg iddi. Jest deud dy fod ti'n ffonio ar ran yr Ysgrifennydd Gwladol. Gofynna am Meredydd Huws. Deud bod gen ti stori iddo fo. Pan ddeudan nhw 'mod i ddim yno rho hi iddyn nhw beth bynnag. Mae Eric yn siŵr o'i llyncu hi."

"Dwn i'm... faint o'r gloch ydi hi?"

"Pum munud wedi deg."

"Falla bydd neb yno."

"Duw, be 'di'r ots? 'Sgen ti ddim byd i'w golli, nac oes?

Gei di ddefnyddio'n mobeil i."

"Mi wna i os ca i ddiod arall gynta."

"Be gym'ri di?"

"Peint... na, gym'ra i short tro yma. Fodca a Britfic, plis. Fedra i gael un mawr?"

"Unrhyw beth i ti, cariad. Peint arall, Sion?" Cododd Mered gan roi gwasgiad cyfeillgar i ben-glin Bethan.

"Dim-un-dau-dau-dau. Pedwar-wyth-wyth. Dim-dim-dim."

Bring-bring. Bring-bring.

"Newyddion Gwifrau Gwalia."

"Helo, ga i siarad efo Meredydd Huws os gwelwch chi'n dda? Meredydd Huws, eich Gohebydd Gwleidyddol chi. Be... tydi o ddim yna...? 'Dach chi'n gwybod lle mae o...? Wedi mynd adra? Dyna biti... Ffonio ar ran Michael Owen ydw i... Pa Michael Owen...? Y Michael Owen... Fi 'di Alison Davies, ei Pi-Ê o... Ie, dyna chi, yr Ysgrifennydd Gwladol. Yr un sydd yn y Cabinet. Jest... 'di o ddim yn y Cabinet rŵan, mae o 'di ymddiswyddo. Be... Ydw dw i'n siŵr. Wrth gwrs 'mod i. 'Nath o handio'i *resignation letter* i mewn pnawn 'ma... Ie, ar ôl cyfarfod y Cabinet. Mi aeth o i weld Tony Blair yn bersonol... Do, mi fuodd 'na uffar o ffrae. Rwbath ynglŷn â dewis ymgeisydd ar gyfer y Cynulliad yn lle Pico Parry... Tydyn nhw byth wedi'i ffeindio fo yn nac 'dyn? Eniwe, wnewch chi ddim deud am hyn wrth neb, na wnewch...? Mae 'na strict embargo arno fo. Jest tip-off i Mered oedd hynna i fod am ei fod o'n ffrind sbeshal... Bydd, mi fydd 'na gyhoeddiad... mi fydd 'na ddatganiad yn cael ei roi i'r wasg fory... Efo pwy dw i'n siarad rŵan? Eric be? Neis iawn siarad efo chi, Mr Huws-Lewis! Hwyl i chi rŵan. So long!"

Roedd Mered yn ei ddyblau'n chwerthin erbyn iddi

roi'r ffôn yn ôl iddo. "Asu, cariad, ti'n seren," meddai gan roi ei fraich yn gariadus amdani.

"Oeddwn i'n dda?"

"Asu, oeddet!"

"Yn dda iawn?"

"Yn dda iawn, iawn." Plannodd glamp o sws ar ei gwefus. Yn ffodus roedd Sion yn rhy bell allan ohoni i sylwi.

"Dw i'n meddwl 'mod i'n haeddu diod arall ar ôl hynna. Diffodd y ffôn 'na neu fe fydd Eric yn galw mewn munud. Dw i'n mynd i'r bar."

"T'isho help, cariad?"

"Help i be?"

"I gario."

"Gei di 'ngharig fi yno, dyna fyddai'r help gora." Cododd Bethan ar ei thraed. Gosododd Mered ei law ar ei phen-ôl i'w sadio, a'i thywys i gyfeiriad y bar. "Dau beint o lager a dybl fodca a britfic plis. Mered, ti'n meddwl gwneith Eric 'y nghoelio fi?"

"Mi goelith o rwbath. Tasat ti'n deud wrtho fo bod Prins Charles yn dod i Gaerdydd i ddysgu'r coed yng nghaeau Pontcanna i siarad 'sa fo'n coelio."

"Ti'n meddwl y bydd o ar y newyddion bora fory?"

"Be?"

"Bod Michael Owen 'di ymddiswyddo."

"Ar *Bore Da*? Na fydd siŵr. Mi ddeudaist ti mai stori ecsclwsif ar 'y nghyfer i oedd hi'n do? Fasa Eric byth yn meddwl mynd amdani ar ei liwt ei hun. Mae'n siŵr bod y diawl twp yn trio ffonio fi rŵan! P'run bynnag, allet ti byth redeg stori fel 'na heb ei chadarnhau hi. Mae hyd yn oed Eric yn gwybod hynny. Dyna'r job gynta ga i fory gei di weld."

"Be wnei di?"

"Eistedd yn y swyddfa drwy'r bore yn smalio mynd ar ei hôl hi, a deud jest cyn newyddion amser cinio'i bod hi ddim yn stacio."

"Ti'n uffar o foi, Mered!"

"Ti'n uffar o hogan, Beth!" Toddodd chwerthin y ddau yn snog – un rhy hir o lawer i fod yn ddim ond sws pen blwydd. "Ew, dyna'r *tongue-sarnie* ora dw i 'di'i chael ers talwm, Beth."

"Beth am gael un arall, 'ta?" Dechreuodd y ddau lyfu tonsils ei gilydd eto nes bod y barman yn teimlo'n sic. "Dyna i ti beint arall," meddai Bethan a rhoi gwydr dan drwyn Sion Aled.

"O... y..."

"Fasa hanner wedi gwneud iddo fo," meddai Mered. "Tydi o ddim wedi gorffen yr un oedd ganddo fo, a wneith o ddim chwaith yn ôl yr olwg sydd arno fo."

"Iechyd da pawb!" Chwifiodd Bethan y fodca britfic yn yr awyr.

"Iechyda!" Ceisiodd Sion chwifio'i beint yntau gan golli ei hanner dros y bwrdd a'i drowsus.

"Iechyd! Sbia be ti 'di 'neud rŵan," meddai Mered gan hel y lager oddi wrtho efo mat cwrw.

"Beth am fynd i'r Cambyhafio!" Asu! Hogan a hanner oedd Bethan!

Ond roedd meddwl Mered ar amgenach pethau. " 'Drycha, mae hwn yn edrych fel 'sa fo 'di gwlychu'i hun. Awn ni â fo adra gynta, ia, ac wedyn gawn ni weld am y Camio."

"Camio nesaia? 'Dan ni mynd i gael tacsi?" Dechreuodd Sion ystwyrian wrth glywed sôn am glwb yfed hwyr-y-nos cyfryngis Caerdydd.

"Ti'n mynd adra, 'ngwas i. Dw i'n meddwl bod chdi 'di cael hen ddigon am heno."

"Tingwbobe? Tiniawn! Uffarofoiawnti 'sti Mered!" Bu raid i Mered a Bethan godi Sion o'i sedd a'i gynnal rhyngddynt er mwyn ei lusgo o'r dafarn.

"Tacsi! Tacsi!"

Gwibiodd car du ar ôl car du heibio. Rhaid bod digon o fusnes i'w gael, a'r un ohonyn nhw am fentro meddwyn rhacs yn piwcio wyth peint dros y sedd gefn. O'r diwedd stopiodd un. Gosodwyd Sion fel sardîn rhwng y ddau arall.

"Lle t'isho mynd, Sion?"

"Eh?"

"Lle ti'n byw?"

"Stryd y Felin, Canton."

Fe'i danfonwyd adref, a gwyliodd Mered o'n ymbalfalu i ffeindio'i oriad a'i ffitio i mewn i dwll y clo. Agorodd y drws, ymhen hir a hwyr, a baglodd Sion drwyddo.

"Be rŵan?" gofynnodd Mered gan glosio at Bethan.

"Cambyhafio?"

"Dw i isho cambyhafio, ond ddim yn y Camio. Yn ôl adra, dw i'n meddwl.

* * *

Roedd y swyddfa bore drannoeth yn ferw. Roedd Eric wedi cael modd i fyw ar ôl clywed bod yr Ysgrifennydd Gwladol wedi ymddiswyddo, yn enwedig gan mai y fo oedd wedi cael y stori gyntaf.

"Meddylia'i fod o 'di ffonio Gwifrau Gwalia gynta!" meddai wrth Mari a thinc o angrhedinedd yn ei lais. " 'Dan ni wedi cael gwybod cyn y BBC, hyd yn oed!"

"Wyt ti'n siŵr mai y Michael Owen ydi o?" gofynnodd hithau, efo talp helaeth o angrhedinedd yn ei llais hithau. "Michael Owen, Ysgrifennydd Cymru, nid rheolwr rhyw siop sgidia neu rwbath?"

"Wrth gwrs 'mod i'n siŵr!" mynnodd Eric. "Mi tsheciais i hynny. Ddim fo'i hun alwodd, wrth gwrs. Alison Davies, ei PA o ffoniodd. Hogan neis iawn. Un o'r gogledd."

"Adran gyhoeddusrwydd y Swyddfa Gymreig fydd yn arfer gwneud unrhyw gyhoeddiad am yr Ysgrifennydd Gwladol. Boi o'r enw Clive Desmond..."

Ond roedd Eric yn bendant. "Mi wnes i ffonio cartref Michael Owen neithiwr, ond doedd 'na ddim ateb," meddai. "Cadw'i ben yn isel mae o, mae'n siŵr. Dw i'n gwybod sut deimlad ydi o. Mi fydda inna'n gadael i'r ffôn ganu weithiau pan dw i'n gwybod bod degau o bobol ar fy ôl i. Dw i am roi un cynnig arall arni bore 'ma, wedyn mi wna i drio Rheinallt Morris, y boi Llafur arall 'na. Dw i'n siŵr y bydd o wrth ei fodd. Cyfle iddo fo gael *promotion* rŵan. Tria di arweinwyr y pleidiau eraill."

Doedd Dai Llywelyn, pennaeth Plaid Cymru, ddim yn rhy falch o gael ei ddeffro am hanner awr wedi chwech y bore. "Hmrph!" meddai fel ceffyl blin pan gafodd ei styrbio. Ond meddalodd pan esboniodd Mari pam ei bod yn ffonio. "O biti," meddai wedyn. "Piti mawr. Jest cyn etholiadau'r Cynulliad. Ddim jest cnoc i'r Blaid Lafur fydd hyn, fydd o'n gnoc i'r holl broses ddatganoli. Iawn, faint o'r gloch ddeudoch chi oedd y rhaglen?"

"*Good riddance*, lices i 'rioed mo'r cythrel," sgyrnygodd Rick Rosser, arwr yr asgell dde. Roedd ei lais i'w glywed yn aml ar y cyfryngau Cymraeg, am ei fod mor huawdl. Cytunodd i siarad gyda mymryn o falais. Roedd un peth yn sicr. Fyddai o ddim yn rhoi teyrnged dwymgalon i

Michael Owen.

"Duw annwyl, mae o wedi mynd, yndi?" tagodd George Lloyd, y Democrat Rhyddfrydol hynaws. "Diolch am adael i mi wybod, cyw."

"Dw i wedi'u cael nhw i gyd, Eric," galwodd Mari.

Doedd Eric ei hun ddim yn cael cystal lwc. Oedd, roedd o wedi cael gafael ar Rheinllt Morris, ond doedd o ddim eisiau ymateb i'r stori. Doedd o'n gwybod dim am y peth, wir, a doedd o ddim am ddweud dim byd nes ei fod wedi siarad â'r blaid. Ci bach! meddyliodd Eric. Ddim eisiau dweud dim byd nes ei fod yn cael cyfarwyddyd gan y sbin ddoctoriaid! Dim ots. Roedd ganddo ddigon o wleidyddion eraill ar y rhaglen. Dim problem llenwi heddiw.

* * *

Rhyw hanner deffro a wnaeth Mered pan ganodd y cloc larwm toc cyn saith. Be oedd yn gwneud y bore yma'n wahanol? O, roedd 'na ferch yn y gwely efo fo. Pwy oedd hi? Bethan, o swyddfa'r Gog. Mmmm! Neis! Roedd hi â'i chefn ato ac roedd hi'n noeth. Gwasgodd yn ei herbyn er mwyn teimlo'i chluniau llyfn, llydan. Rhoddodd ei fraich amdani, a dechrau mwytho'i bronnau. Dyma'r tro cyntaf iddo gael cop efo Bethan, ac roedd o'n licio'r profiad. Roedd ei siâp hi jest neis – llawn, nobl, heb fod yn dew, ac yn ôl yr hyn a gofiai roedd hi'n eitha poeth o dan y *duvet*. Ar ben hynny roedd hi'n uffar o hogan iawn. Teimlodd ei thethi'n caledu o dan ei bawennau.

"Hai!"

"Bore da, cariad!" Trawodd sws ar gefn ei gwddw. "Sut deimlad ydi deffro'n dri deg un?"

Pwysodd hithau'n ôl yn ei erbyn, yn mwynhau ei

fwythau. Dyna arwydd da. "Ddim yn bad, 'sti. Ddylet ti wybod. Ti 'di bod yno, amser maith yn ôl".

"Hei, llai o'r maith 'na!" Rhoddodd sws arall iddi a symud ei law i rwbio'i chlun. Mmmm. Roedd ei hymateb yn ffafriol. Siawns am jwmp arall cyn codi, gobeithio. "Ti ffansi cynnig arall arni? Oeddet ti'n cael hwyl dda iawn arni neithiwr!"

"Oeddwn i wir!"

"Arhosa am funud." Trodd Mered i roi'r radio ar erchwyn y gwely ymlaen. "Well i ni glywed y penawdau." Dechreuodd oglais y man tyner lle roedd y blew'n dechrau tyfu i wneud yn siŵr na fyddai hi'n colli diddordeb. "Wedyn gawn ni fwynhau'n hunain efo cydwybod glir."

"… a'r penawdau eraill. Cant o swyddi'n dod i Lanelli. Lladrad arfog o garej yng Nghorwen. A'r ferch o Abergele sy'n mynd i groesi China ar gefn beic."

"Hm, mi allwn ni aros yma drwy'r bore. Dim byd yn fan'na i wneud i ni ruthro i'r gwaith, nac oes?" sibrydodd Mered gan lyfu clust Bethan.

"Ond yn ôl at y brif stori. Mae Ysgrifennydd Cymru, Michael Owen, wedi ymddiswyddo. Cafodd Gwifrau Gwalia alwad ffôn gan ei gynorthwyydd personol yn hwyr neithiwr, yn dweud bod ffrae wedi bod rhyngddo fe a gweddill y cabinet. Doedd Mr Owen ei hun ddim ar gael i siarad efo ni y bore 'ma, ond yn ymuno â ni rŵan mae Dai Llywelyn o Blaid Cymru, y Ceidwadwr Rick Rosser a George Lloyd o'r Democratiaid Rhyddfrydol…"

"Ow mai gwd god," meddai Mered. "Ffyc! Blydi hel!" Teimlodd ei hun yn mynd yn llipa o'i gorun i'w sawdl.

"Shit!" meddai Bethan. "Bolycs! Cachu hwch! Be wnawn ni rŵan?"

"Reit," meddai Mered gan feddwl yn galed. " 'Sdim

isho i ni banicio. Wneith neb ein cysylltu ni efo'r syrcas yma'n syth. Eric geith y bai."

"Ond mae o'n siŵr o ddeud be ddigwyddodd..."

"Pwy sy'n gwybod am hyn... ti, fi a *Pizza Face*. Dw i'm yn meddwl y bydd o'n cofio llawer am neithiwr, beth bynnag. Mi awn ni i'r gwaith fel 'tasa dim byd wedi digwydd. Wnawn ni ddim cymryd arnon ni ein bod ni'n gwybod dim."

"Maen nhw bownd o ffeindio allan o lle daeth yr alwad ffôn."

"Ella, ond mi gym'rith hynny dipyn o amser. Dw i'n siŵr na ddoith hi ddim i hynny beth bynnag. Fydd jest rhaid i ni *keep cool* am heddiw. Gadael i Eric gymryd y fflac. Twat!"

PENNOD 7

"BORE DA! Meleri Hughes ydw i. Dw i yn y coleg yng Nghaerdydd. Gwneud *Media Studies*. Dw i 'di dod yma ar profiad gwaith."

Griddfanodd pawb yn ddistaw. O bob blydi diwrnod i gael rhywun ar brofiad gwaith! Cerddodd y flonden hyderus drwy'r swyddfa ac eistedd wrth un o'r cyfrif-iaduron. Fel arfer byddai'r dynion wedi dangos cryn ddiddordeb mewn ymwelydd o'r fath ond y bore hwnnw roedd pawb yn rhy benisel. Nid taranu i'r stafell newyddion yn galw am gael gweld y bòs a wnaeth Huw Elfed Hughes y tro hwn. Daeth i mewn yn oer a bygythiol a thywys Eric i fyny'r grisiau fel carcharor i Coldiz. Gorweddai Sion â'i ben ar y ddesg yn amau bod ganddo fo rywbeth i'w wneud efo'r helbul, ond heb fod yn siŵr beth. Roedd o'n teimlo'n rhy sâl i sylwi nad oedd ei bidlen wedi cynhyrfu dim ar gownt y newydd-ddyfodiad. Am unwaith roedd Mari'n ddistaw. Eisteddai y tu ôl i'w chyfrifiadur yn teimlo rywsut y dylai hi gymryd peth o'r bai. Roedd Maldwyn wedi ildio i ddifrifoldeb y bore, ac yn gwneud ymdrech i ddarllen y papurau trymion yn hytrach na'r *Sun* a'r *Star*. Byddai Mered wedi hoffi cymryd diddordeb yn y fyfyrwraig, ond doedd o, hyd yn oed, ddim yn ddigon eofn i lygadu merch arall o dan drwyn Bethan. Felly cafodd Meleri yr argraff mai criw trist a syber iawn oedd yn gweithio i Gwifrau Gwalia.

Daeth Eric i lawr y grisiau ar ôl tipyn, a'i wyneb

yn welw.

"Wel?"

" 'Dan ni'n gorfod rhoi ymddiheuriad."

"I bwy?"

"I Michael Owen, ar y radio. Dweud ein bod ni wedi gwneud camgymeriad. Os na wnawn ni mi fydd o'n mynd â ni i'r llys."

"A be sy'n mynd i ddigwydd i ti? Ti ddim yn cael y sac na dim byd, nac wyt?"

"Nac 'dw," meddai Eric gan bacio'i friffces. "Ond dw i'n mynd adra'n gynnar heddiw. Mae Huw Elfed eisiau i mi gymryd gweddill yr wythnos i ffwrdd i ystyried fy nyfodol."

"Oedd o'n flin, felly?" mentrodd Mered.

"Does dim angen i chi poeni am Yncl Huw. So fe byth yn flin am hir!"

O, mae'r hogan profiad gwaith 'ma'n perthyn i Huw Elfed ydi hi? meddyliodd Mered. Roedd angen bod yn ofalus be fyddai'n cael ei ddweud yn ei gŵydd hi felly. Dim lladd ar y bosys.

* * *

Doedd Ellis Wynne, wrth gwrs, yn gwybod dim am helyntion ei adran. Draw yn America, pethau hollol wahanol oedd yn ei boeni o, fel pa bryd y gallai ddod adref. Roedd y ffilm wedi bod yn benigamp a'r parti wedyn yn ddi-fai. Teimlai Ellis yn gyfforddus iawn yng nghanol penaethiaid ffilmiau bach boliog, locsynnog efo dillad ffasiynol fel fo'i hun. Yfodd siampên yng nghwmni'r bobol PR a llwyddo i berswadio Julia Jones, seren *Freeheart* (merch nad oedd ynddi ddefnyn o waed Cymreig), i ddweud "Yacky Da, Dwee'n Karu Kymru". Ond ers hynny roedd wedi bod yn styc yng Nghaliffornia. Roedd stormydd enbyd wedi chwipio arfordir y Môr Tawel a phob awyren oedd i fod i hedfan i mewn ac allan o LA wedi ei gohirio.

A dweud y gwir, fyddai o ddim wedi meindio diwrnod neu ddau ychwanegol yn y gwesty crand yn y Beverly Hills. Beth oedd 'chydig o gorwyntoedd pan oedd *sauna*, *jacuzzi* a *masseuse* (y math parchus, wrth gwrs) i'w cael unrhyw awr o'r dydd i'w ddiddanu? Fyddai'r rheolwr byth wedi credu cymaint yr oedd y boi od 'na o Gymru yn ei fwynhau ei hun o ystyried pa mor hyll yr edrychodd arno yn y fynedfa y dydd o'r blaen. Ond doedd dim llonydd i'w gael. Roedd Delyth yn galw. Prin yr oedd y gwifrau rhwng Cymru a Chaliffornia'n cael cyfle i oeri.

"Pryd wyt ti'n dod adref, cariad? Mae'r plant yn gofyn amdanat ti. Ydi'r awyrennau wedi cychwyn eto? Pam na fedri di gael gair efo nhw? Roedd Samantha'n dweud wrtha i bod Aero-float yn hedfan waeth beth fo'r tywydd... Oes gen ti ddim cywilydd, yn gadael dy wraig a'th blant ar eu pen eu hunain, dywed... Un peth ydi trip gwaith, peth arall ydi jolihoit!"

Ofer fu ceisio dal pen rheswm efo hi. Doedd Mrs Ellis Wynne, a oedd yn amharod i hedfan o gwbl, ddim yn gweld bod 'na reswm pam bod yr holl awyrennau wedi eu gohirio. Ar ôl llu o alwadau, dechreuodd cydwybod Ellis ei flino. Wedi'r cyfan, roedd o wedi bod i ffwrdd am ddeuddydd yn hwy na'r disgwyl. Mi ddylai fod wedi cael ei aduno efo'i deulu bach erbyn hyn. Ffoniodd ei wraig i erfyn maddeuant.

"Dw i'n dy golli di, cariad. Dw i'n dy garu di."

"Gen ti ffordd ryfedd iawn o ddangos hynny. Mwynhau

dy hun yn braf yng nghanol sêr Hollywood a'n gadael ninnau yma yng Nghaerdydd! Plis, El," newidiodd Delyth ei thacteg a dechrau swnio'n ddagreuol, "plis El, tyrd yn ôl!"

Well i mi wneud ymdrech, debyg, meddyliodd yntau. Roedd yn gas ganddo glywed ei wraig yn crio. Gyda chryn drafferth, llwyddodd i newid ei docyn er mwyn cychwyn am Lundain efo cwmni arall y noson honno. Golygai'r trefniant newydd fod yn rhaid iddo hedfan i Efrog Newydd gyntaf, a disgwyl yno am chwe awr cyn mynd yn ei flaen i Heathrow. Roedd y daith yn cymryd cryn dipyn mwy o amser a fyddai o ddim yn Llundain fawr cynt beth bynnag. Ond roedd hi'n werth gwneud yr ymdrech i blesio Delyth.

"Dw i wedi newid y trefniadau," meddai'n fuddugoliaethus y tro nesa y siaradon nhw. "Mi fydda i'n gadael am JFK heno, ac yn glanio yn Heathrow bump o'r gloch nos fory amser chi."

"Gwych, Ellis! O, dw i mor falch! Oeddwn i'n dechrau poeni nad oeddet ti'n mynd i ddod yn ôl o gwbl! Dy fod ti am fynd a'n gadael ni!"

"Delyth, ti'n gwybod na faswn i'n gwneud hynna. Wyt ti a'r plant yn werth y byd i mi! Fedra i ddim disgwyl eich gweld chi yn y maes awyr 'na."

"O! Dw i newydd gofio rhywbeth!" Newidiodd Delyth ei thiwn eto.

"Be?"

"Mae Clwb Cinio Cymraeg Merched Caerdydd yn cyfarfod nos fory. Fedra i ddim dod i'r maes awyr."

Tawelwch hir. "Faint o'r gloch mae o?"

"Hanner awr wedi saith, yn y Park Hotel. Fydda i byth yno mewn pryd os oes rhaid i mi ddod i dy gyfarfod di erbyn pump. P'run bynnag, mi fydd rhaid i mi gael amser i baratoi."

"Paid â phoeni." Llwythodd Ellis ei lais efo cymaint o emosiwn ac y gallai. "Mi ffeindia i'n ffordd oddi yno rywsut."

"Sut?"

"Dwn i'm. Trên. Bŷs. Tydi'r ffaith 'mod i'n Olygydd ddim yn golygu na fedra i deithio fel y werin."

"Paid â bod yn wirion. Does 'na'm angen i ti wneud peth fel'na!"

"Mi gym'ra i dacsi 'ta! Neu logi car."

"Cym on rŵan! Mi fyddai hynny'n costio ffortiwn! 'Drycha, cariad, mi faswn i'n dod oni bai 'mod i 'di addo i Heulwen 'mod i'n mynd i'r cinio. Fi sy'n cyflwyno'r wraig wadd."

"A finna wedi mynd i'r holl drafferth i newid y tocyn!" Pe na bai Ellis yn gymaint o wimp mi fyddai'n ddig iawn.

"Dw i'n gwybod! Dw i 'di cael syniad gwych!"

"Be?"

"Ffonia'r swyddfa a gofyn i un ohonyn nhw ddod i dy nôl di. Dw i'n siŵr nad ydi Gwifrau Gwalia mor brysur fel na fedran nhw sbario rhywun am bnawn!"

A dyna sut y bu raid i Ellis lyncu'i falchder, a ffonio'r tîm anniolchgar oedd wedi gwrthod ei holl eitemau i ofyn am ffafr. Doedd neb yn swnio'n rhy awyddus i'w helpu.

"Gad o efo ni, Ellis, mi sortiwn ni rwbath allan," meddai Mari. "Pam 'sa'r uffar ddim wedi manijo i gael ffleit i Gaerdydd?" brathodd wrth roi'r ffôn i lawr. "Ydi o'n meddwl bod ganddon ni ddim byd gwell i'w wneud na bod yn dacsi iddo fo?"

Doedd gan Mari ddim car a fedrai Marilyn ddim dreifio. Chwerthin a wnaeth pawb pan gynigiodd Sion

Aled fynd. Doedd dim disgwyl i'r Mini Metro fynd cyn belled â'r Barri heb sôn am Lundain. O fewn munudau, datblygodd Mered ddiddordeb ysol mewn pleidiau bach. Cofiodd yn sydyn ei fod wedi addo i Heledd Haf y byddai'n paratoi adroddiad arbennig arnyn nhw ar gyfer y noson honno.

"Bethan, be amdanat ti?"

"Hm... mi a' i, ond dw i ddim yn hoff o ddrefio ar y draffordd... a dw i 'rioed wedi bod yn Heathrow o'r blaen."

"Well i ni ffonio Heledd 'ta. Os ellith hi fynd i nôl Ellis mi gei di gynhyrchu *Pnawn Da* yn ei lle hi."

"Mae hynny'n gofyn am bandemoniym ar yr M4," meddai Mered. "Be am i Bethan ddreifio yno, ac i Sion fynd efo hi i nafigetio?"

Edrychodd y ddau ar ei gilydd yn reit amheus. Teimlodd Sion ei *brewer's droop* yn lledu trwy'i gorff i gyd a thyfodd lwmp yn stumog Bethan. Ond doedd fawr o ddewis. Roedd y ddau angen *brownie points*. Rhoddodd Mered winc fawr ar Meleri Hughes. Gyda Bethan yn saff o'r ffordd mi gâi yntau ddod i nabod nith hyfryd Huw Elfed yn well.

"Sut wyt ti ffansi bod yn ohebydd gwleidyddol am y diwrnod?" Eisteddodd ar ymyl ei desg yn gyfeillgar. "Meredydd Huws ydw i. Galwa fi'n Mered."

"O, fydden i wrth fy modd, Mered," meddai Meleri gan wneud llygaid llo. Gwenodd Mered ar y bronnau a oedd yn ymwthio trwy'r siwmper dynn.

"Dw i'n meddwl ein bod ni wedi cyfarfod o'r blaen," meddai eu perchennog. "Roeddech chi yn *press conference* yr heddlu, jest ar ôl i Pico Parry ddiflannu yn doeddech? Wedoch chi rywbeth bod y cops yn boring."

Fflachiodd meddwl Mered yn ôl i'r gynhadledd

newyddion yn y cop shop. Y ferch fach siapus yna oedd yn eistedd yn ei ymyl! "Wrth gwrs! Sut medrwn i anghofio! Neis dy gyfarfod di eto – go iawn y tro yma!"

Os mai newyddiadura oedd uchelgais Meleri doedd dim siâp gohebydd gwleidyddol arni.

"Dw i isho gwneud rhyw eitem fach ysgafn ar y *no hopers* yn yr etholiad," meddai Mered. Edrychodd hithau arno'n syn. "Pobol fel Capten Beany, y *Yogic Flyers* aballu dw i'n 'feddwl, ddim Toriaid Cwm Rhondda a Phleidwyr Sir Fynwy."

Ond roedd hi'n amlwg na fyddai hi'n synnu pe bai gwraig yr arweinydd Ceidwadol yn cipio un o seddi glofaol y de, a phobl Sir Fynwy'n codi gydag un llais i alw am annibyniaeth i Gymru. Ta waeth, roedd hi'n ddigon defnyddiol, yn trefnu cyfweliadau ar ôl i Mered roi rhestr o rifau ffôn iddi. Yn wobr am ei dycnwch cafodd fynd efo fo i ymweld â rhai o'r crancod gwleidyddol oedd â'u bryd ar ennill sedd yn y Cynulliad, ond nad oedd ganddyn nhw obaith pluen eira yn uffern o gael un.

"Gyrra'n ofalus ar hyd yr M4 yna," meddai Mered cyn gadael y swyddfa, gan roi ei fraich yn dadol am ysgwydd Bethan. "Mae'r traffic yn gallu bod yn ddiawledig arni. Well i ti gychwyn mewn da bryd." Gostyngodd ei lais. "Mae'n siŵr y byddi di 'di ymlâdd heno – gawn ni ddrinc fory neu'r diwrnod wedyn, ia?"

Roedd Bethan wedi ymlâdd yn barod. Prin ei bod hi wedi cysgu ar ôl ei sesh pen blwydd. Rhaid bod ei hoed yn dechrau dweud arni.

"Sut ti'n teimlo?" crawciodd Sion.

"Braidd yn *rough*."

"A fi hefyd. Well i ni gychwyn yn go fuan ia? Lle bo' chdi'n gorfod rhuthro."

"Iawn, dw i'n barod. Go brin y bydd neb yn disgwyl i ni wneud dim byd arall heddiw."

"Ol reit. Jest gad i mi fynd i'r tŷ bach gynta. Mae gen i bloryn sy angen ei wasgu cyn mynd. Ches i ddim cyfle i folchi bore 'ma, neu faswn i wedi gwneud adeg honno."

Ddeng munud yn ddiweddarach, a gync yn addurno drych y bog, cychwynnodd y ddau am y maes awyr.

* * *

Roedd Mered yn cael gwell hwyl ar bethau. Doedd sioc ben bore ddim wedi troi'n hangofyr yn ei achos o. A dweud y gwir, roedd o'n teimlo'n reit dda. Doedd dim amheuaeth nad oedd noson o ryw yn curo noson o gwsg unrhyw bryd. Roedd o wedi cael diwrnod go lew yn dreifio rownd yn gofyn cwestiynau twp i nytars. Bellach roedd o wrthi'n ddygn yn rhoi hyfforddiant llais i'r flonden. Ar ôl iddi hi wneud cymaint o'r gwaith, byddai'n neis iddi gael cyflwyno'r darn, meddai wrthi. A byddai hynny yn ei arbed o rhag cael ei gysylltu efo eitem mor wirion.

* * *

Llithrodd milltiroedd yr M4 heibio'n ddiflas fel y glaw mân a'r traffig. Doedd gan Bethan na'r co-dreifar fawr o sgwrs. Bu'n rhaid aros ar y llain galed sawl tro er mwyn i Sion daflu i fyny. Wrth lwc, doedd 'run car plismon yn pasio ar y pryd.

"Wyt ti wedi bod yn Heathrow o'r blaen?" gofynnodd Bethan.

"Naddo. 'Sgen i fawr o ffansi hedfan."

Dam. Doedd fawr o bwynt cael y creadur chwydlyd,

drewllyd yn y car os nad oedd yntau'n gwybod i lle roedden nhw'n mynd. Yn rhyfeddol, llwyddodd y ddau i gyrraedd y maes awyr heb drafferth. Chawson nhw mo'u dal mewn tagfeydd fel yr oedden nhw wedi ofni, ac o ganlyniad roedden nhw yno am dri. Parciodd Bethan yn y *short stay* a meddwl sut i ladd amser. Dringodd Sion i'r sedd gefn, gorwedd ar ei hyd, taro clamp o rech a mynd i gysgu. Hm. Er bod Bethan yn cael ei hystyried yn un o'r hogia roedd hyn yn ormod. Llamodd allan ac anadlu'r awyr iach yn ddiolchgar.

Diawl erioed, roedd Heathrow'n lle digon difyr, meddyliodd ar ôl cerdded o gwmpas am dipyn. Roedd lot gwell siopau yno nag yng Nghaernarfon! Ac roedd dyfalu beth oedd hanes y *sheiks* a'r bobl fusnes a'r *backpackers* yn fwy o hwyl nag awyrgylch grematoriym y swyddfa. Iesu, roedd hi'n teimlo'n euog ynglŷn ag Eric, hefyd. Hi ddylai fod wedi cael y bai, nid y fo. Ond os oedd o'n barod i gredu mai hi oedd ysgrifenyddes yr Ysgrifennydd Gwladol... Ochneidiodd a throi'n ôl am y car.

* * *

Dal i fynd trwy'r moshyns o roi gwers ddarlledu i Meleri yr oedd Mered. Dipyn bach mwy o bwyslais fan hyn... dyfnhau'r llais fan acw... da iawn... un cynnig arall arni... grêt... dyna fo – perffaith. Wel, os nad oedd o'n berffaith mi wnâi'r tro. Roedd Miss Hughes yn ddisgybl dymunol iawn, beth bynnag, yn gwenu'n neis, yn chwerthin bob tro roedd o'n dweud rhywbeth ffraeth ac yn chwarae efo'i gwallt yn ferchetaidd drwy'r amser. Gwthiodd Mered ei droed o dan y ddesg nes ei bod yn cyffwrdd ei hun hi.

Wnaeth hi ddim symud. Go dda.

"Un cynnig arall ar y darn diwetha 'na, wedyn mi rown ni'r cwbl at ei gilydd," meddai.

"O Mered, diolch am fod mor *patient*. Wnes i ddim disgwyl cael gwneud eitem fel hon ar diwrnod cynta fi."

"Ti'n cael hwyl dda arni. Arbennig o dda, a deud y gwir. Faswn i'n rhoi job i ti heb ddim lol." Gwenodd Meleri'n foddhaus. Roedd ganddi wyneb fel cath fach. Disgwyliai Mered ei chlywed yn canu grwndi unrhyw funud. "Mae gen ti ddiddordeb mewn gohebu gwleidyddol, felly?"

"O oes, *especially* ar ôl heddiw. Doeddwn i ddim wedi realeisio bod gwleidyddiaeth yn gallu bod mor ddiddorol."

"Be wyt ti'n 'neud heno? Roeddwn i i fod i gyfarfod contacts – rhai gwleidyddol felly – ond maen nhw wedi gorfod canslo. Mae gen i fwrdd wedi'i fwcio mewn *Italian* bach neis yn yr Eglwys Newydd. Ti ffansi dod? Mi fedra i roi tipyn o dips i ti ar gyfer dy yrfa."

* * *

"Coc y gath! Mae ffleit Ellis yn mynd i fod yn hwyr!"

"Sut ti'n gwybod?"

"Mae'n deud ar y sgrin acw."

"O'n i'n meddwl bod ti ddim wedi bod yn Heathrow o'r blaen."

"Mae gen i lygaid yn 'y mhen yn does? A dw i wedi bod ym maes awyr Manceinion. Tydi'r ffaith 'mod i'n byw yn y wlad ddim yn golygu 'mod i'n hic llwyr, 'sti!"

Gan deimlo'n fflat fel canol Sir Fôn roedd Bethan wedi mynd i nôl Sion o'r car. Roedd ei gwmni o'n well na dim. Peth arall, doedd hi ddim eisiau wynebu Ellis Wynne ar ei phen ei hun.

"Be wnawn ni rŵan?"

"Dwn i'm. Aros fan hyn."

"O leia' mi roith hyn dipyn o amser i ni."

"I be?"

"I feddwl am stori."

"Stori?"

"Wel, i egluro be sy wedi bod yn digwydd tra mae o 'di bod i ffwrdd. Iesgob, mae'r lle 'di newid yn llwyr. Eric 'di cael y sac – wel – ei hel adre. Cyfres newydd yn dechrau…"

"A'r rhaglen gynta'n gachu hwch."

"Ie. Ti'n meddwl dylen ni ddweud wrtho fo bod Eluned Ogwr yn gwneud *takeover bid*?"

"Paid a sôn, wir. Fydd hedfan dros yr Iwerydd wedi bod yn ddigon o drawma i Ellis heb iddo fo ddechrau poeni am Eluned.

"O Mam bach, ma' ei dychmygu hi yn fòs yn 'y ngwneud i'n swp sâl. Hyd yn oed gwaeth na…" Stopiodd Sion ar ganol ei frawddeg.

"Gwaeth na be?"

"O… y… dim byd."

"Ty'd yn dy flaen. Oeddet ti'n mynd i ddeud rhwbath rŵan."

"O, rhywbeth personol oedd o."

"Ddeuda i ddim wrth neb."

"Mae'n embarasing!"

"Elli di 'nhrystio i."

"Stori hir ydi hi."

"Sbia, Sion. *Flight DA 406 delayed. Expected time of arrival, 19:00.* Mae gynnon ni ddwy awr o leia'. Gei di ddeud wrtha i dros goffi. Dos di i'r caffi 'na i gadw sêt. Mi a' i i'w brynu o."

* * *

Tra oedd Bethan yn gwasgu hanes embarasing Sion allan ohono roedd Meleri'n paratoi i fynd i'r tŷ bwyta Eidalaidd i gyfarfod Mered. Be ddylai hi ei wisgo? Dibynnu pa mor ddylanwadol oedd e, a dweud y gwir. Fyddai Yncl Huw byth yn sôn llawer am yr orsaf radio. Gwell trio gwneud argraff – rhag ofn bod y Gohebydd Gwleidyddol yn bwysig. Arllwysodd hufen dros ei chorff ac eillio pobman lle'r oedd blewiach diangen yn tyfu. Ceisiodd ffonio'i chariad. Dim ateb. O wel. Paentiodd ei hwyneb. Llygaid mawr du, amrannau toreithiog, gwefusau siwgwr-eisin pinc a digon o bowdwr. Ffantastic! Ffonio tacsi, cawod hael o Obsession a dyna hi'n barod.

Pan gerddodd i mewn i'r Cocina Italiana roedd Mered yn meddwl bod y 'Dolig wedi dod. Roedd o wedi gobeithio cael cyfle i chwarae *footsie* o dan y bwrdd. Roedd y ffrog bitw efo strapiau tenau a sgert oedd prin yn cuddio'r pen-ôl yn awgrymu gêm lawer mwy cyffrous.

"Ti'n edrych yn hyfryd," meddai gan godi ar ei draed yn fonheddig. Edrychodd, drwy gornel ei lygaid, ar ddyn canol oed yn sbio arno. Mae'n rhaid bod y diawl yn genfigennus, meddyliodd yn foddhaus. "Gym'ri di rywbeth i'w yfed i ddechrau?"

"Dŵr, os gwelwch yn dda."

"Twt, 'di dŵr yn da i ddim." Newidiodd Mered i'w Saesneg mwyaf posh. *"Waiter, bring a gin and tonic for the lady."*

"Chi'n gwneud i mi teimlo jest fel Mami a Dadi, Mered, yn cael jin a tonic cyn cinio," meddai Meleri gan chwerthin, a diflannu i'w bag i nôl paced o ffags.

Manteisiodd Mered ar y cyfle i astudio'r hollt rhwng ei bronnau. " 'Sdim angen i ti ddeud chi wrtha i." Brysiodd i gynnig leitar iddi. "Ti'n gwneud i mi deimlo'n hen."

"Rhaid i mi cofio, 'te. Wnaiff hynny mo'r tro, na wnaiff e?" meddai hithau'n chwareus.

Daeth y gweinydd â bwydlen yr un iddyn nhw, a gwneud ffýs mawr o'r *signorina*. Roedd hithau wrth ei bodd efo'r sylw. Ond doedd Mered ddim yn rhy falch o weld dyn ieuengach a delach yn hofran o gwmpas y bwrdd. Gofynnodd am fadarch mewn garlleg a stecen i ddilyn. Dewisodd hithau salad bwyd môr a chig llo efo caws a ham. Diolch byth nad oedd hi'n un o'r fejis bondigrybwyll yna.

"Gwyn 'ta coch?" gofynnodd wrth edrych ar y rhestr win.

"Dere weld." Bachodd hi'r cerdyn oddi wrtho. "Fi'n eitha lico Barolo fy hunan." Dangosodd un o'r gwinoedd drutaf oedd i'w cael yno. Iawn. Os oedd yr hogan isho Barolo, mi gâi hi Farolo.

"Fi'n meddwl bod da ti shwd job ddiddorol, Mered," meddai gan syllu i fyw ei lygaid. "Ti'n cael cwrdd â cyment o bobol wahanol."

"Mmm. Tydi hi ddim yn ddrwg o gwbl," meddai Mered, a'i lygaid yn disgyn cryn dipyn yn is na lefel ei llygaid hi. "Ac mi gei ditha job debyg ryw bryd. Mae'r gallu yna, mi fedra i ddeud."

Lledodd gwên dros wyneb cath fach Meleri. "Ti'n meddwl 'ny? O, dw i mor falch. Ti'n gwybod be? Fi'n poeni weithie nad ydw i'n mynd i wneud e. Cyrraedd y top, wi'n feddwl." Dechreuodd chwarae efo'i gwallt eto.

"Dyfalbarhad, talent a 'chydig bach o lwc, dyna'r cwbl ti isho. Mae'r ddau gynta yno'n barod…" Ar hynny cyrhaeddodd y cwrs cyntaf a bu'n rhaid iddo ildio tra oedd y gweinydd yn dweud pethau gwenieithus wrth y *signorina*.

"Sut cyrhaeddaist ti lle rwyt ti, Mered?" gofynnodd Meleri gan lithro corgimychen yn osgeiddig i'w cheg.

"O, dechrau yn y gwaelod wnes i," atebodd yntau gan ddifaru archebu'r madarch efo'u tomen o arlleg. "Wyt ti'n licio myshrwms...?"

Gwthiodd lond fforc sawrus tuag ati. Edrychodd hithau'n hurt, a'u llyncu i arbed y saim oedd yn sgleinio arnyn nhw rhag diferu dros ei ffrog. Phiw! Ochneidiodd yntau mewn rhyddhad. Byddai ganddo well siawns o gael sws os oedd blas garlleg ar ei cheg hithau.

"Papurau newydd oedd yr unig le i ddechrau pan oeddwn i'n hogyn ifanc. Mi adewais i'r ysgol yn un ar bymtheg a mynd i weithio ar yr *Herald*. Mae petha wedi newid lot erbyn hyn. Mae 'na gwmnïau teledu a gorsafoedd radio wedi codi ym mhob man. A'r cyrsiau *Media Studies* 'ma ydi popeth."

Edrychodd hithau braidd yn bryderus. "Wyt ti'n meddwl bod fi'n gwneud y peth iawn yn gwneud *Media Studies*? Fydde'n well i mi ddechre galw fe'n Astudiaethau'r Cyfrynge, yn bydde, os ydw i moyn job yn Gymraeg."

"Duw, wyt, dw i ddim yn meddwl bod gan neb fawr o ddewis y dyddia yma, mae petha wedi newid cymaint..."

"Dere 'mlaen, Mered, so ti mor hen â hynna..."

"Wel, mae 'na dipyn o fywyd ar ôl yn yr hen gi yma!"

Chwarddodd y ddau ac ymgripiodd ei draed o yn nes at ei rhai hi.

Dros y stêc a'r llo bach datgelodd Meleri mai cyflwyno roedd hi eisiau'i wneud go iawn, ac mai ar y sgrin fach yr hoffai ymddangos. Hy! meddyliodd Mered. Roedd hon damaid bach yn rhy addawol i'w cholli. Gwasgodd ei droed yn galed yn erbyn ei throed hi, a'i hatgoffa bod radio'n gyfrwng oedd yn dal i dyfu.

"Chei di ddim profiad gwell na gweithio ym maes radio," meddai, "ac mae'n handi uffernol y dyddia yma i fedru gwneud y ddau. Paid â bod ofn gofyn am help – mae gen i gysylltiadau yn y byd teledu hefyd." Wel, roedd ganddo gronis yfed yng Nghaernarfon oedd yn gweithio i gwmnïau teledu.

"O Mered, wi mor falch 'mod i wedi cyfarfod ti. Wi'n siŵr na fydde pawb mor barod i helpu!"

"Can I bre-e-eing you the dessert menu?"

Damia'r blydi Aldo neu Stefano 'na neu beth bynnag oedd ei enw. Roedd ganddo'r gallu mwyaf diflas i ymddangos jest pan nad oedd Mered ei eisiau.

"Pwdin?"

"Sa i'n siŵr. Wyt ti am gael un?"

"Potel arall o win, falla?"

"O na, sa i moyn iddo fe fynd i 'mhen i... edrycha i i weld be sy 'da nhw..."

"Just a black coffee for me," meddai Mered gan fod y gweinydd yn dal i hofran o'u cwmpas.

"A finne. Sa i moyn rhoi pwyse 'mlaen," meddai Meleri.

"Be haru ti? Mae gen ti ffigyr bendigedig!" Pe bai hi ond yn sylweddoli. Roedd o wedi bod yn astudio ei chorff bob cyfle posib.

"O... ti'n meddwl 'ny? Diolch i ti." Am eiliad edrychodd fymryn yn swil.

"Os oes 'na rywun na ddylai ddim bod yn poeni am ei siâp, ti ydi honno. 'Drycha, os ti isho pwdin, cym un. 'Y nhrît i fydd o."

"Ol reit, fe gym'ra i un ar un amod."

"Be?"

"Dy fod ti'n dod i ddanso 'da fi wedyn, i losgi'r caloris bant."

Wel! Gwyddai Mered bod ganddo ddwy goes chwith ond fedrai o byth wrthod y fath gynnig. "Dêl!"

"Fe gym'ra i'r *profiteroles* 'te."

Roedd hi'n stido bwrw erbyn iddyn nhw gael tacsi i ganol y ddinas. Sibrydai llais yng nghefn meddwl Mered ei fod o'n rhy hen i dywyllu drysau lle fel y Philharmonic, ond dewisodd ei anwybyddu. P'run bynnag, edrychai Meleri'n dlws iawn efo'i gwallt yn wlyb, a fedrai o ddim torri'i addewid iddi. Dim ond deg o'r gloch oedd hi – llawer rhy gynnar i fynd i glwb nos, yn ei farn o, ond doedd Meleri ddim eisiau mynd i dafarn yn gyntaf. Fel y gweinydd yn y tŷ bwyta edrychodd y bownsar yn hanner tosturiol arni hi, ac yn ddirmygus arno fo. Prysurodd yntau heibio iddo cyn gynted fyth ag y medrai. Sylwodd bod strap fain ffrog Meleri wedi llithro hanner ffordd i lawr ei braich. Gafaelodd ynddi a'i gosod yn ofalus yn ôl yn ei lle, gan adael i'w law loetran ar ei hysgwydd am eiliad yn hwy nag oedd raid.

"Wyt ti am gymryd diod yn fan hyn?"

"Odw. Beth am gael potel? Be ti'n 'feddwl? Bydd dim rhaid i ni mynd 'nôl a 'mlaen i'r bar wedi 'ny. Mae *sparkling wines* neis i'w cael yma."

"Gei di well na hynna, 'mach i. Gei di siampên."

Archebwyd y botel a daeth y weinyddes â hi iddyn nhw mewn bwced. Edrychodd Mered o'i gwmpas. Doedd o ddim yn gyfarwydd â chlybiau'r dref. Roedd pawb yn trendi, pawb yn brydferth (bron) ac yn bennaf oll pawb yn hynod, hynod o ifanc. Daeth yn ymwybodol yn sydyn o'i siaced frethyn a'i wallt mymryn rhy hir, a dechrau teimlo fel pysgodyn mewn cae tatws. Ond roedd Meleri yn ei helfen. Sipiai ei siampên fel tywysoges, gan edrych o'i chwmpas.

"Ti 'di addo danso.

Doedd gan Mered ddim cliw be oedd y gerddoriaeth, na sut y dylid symud iddi, ond cododd yn ufudd.

"Ti'n iawn 'fyd," meddai Meleri ar ôl i'r ddau fod yn hercian o un droed i'r llall am bum munud.

"Iawn ynglŷn â be?"

"Ti'n methu danso, nac wyt ti? Dyna be wedest ti yn y tacsi. Chi *thirty* a *forty-somethings* yw'r *lost generation* lle mae danso yn y cwestiwn. O leia' roedd cenhedlaeth Mam-gu a Tad-cu yn medru gwneud *walzes* a *foxtrots* a phethe *old time* fel 'na. Ond 'sgan pobol oed ti ddim cliw!" Roedd ei geiriau miniog yn brifo. A Mered wedi bod yn gwneud ei orau glas i ddilyn ei symudiadau hi. "Weda i be," meddai hi wedyn. " 'Na i wneud *deal* efo ti. Wna i dysgu ti i danso os wnei di dysgu fi i bod yn *sooper-dooper reporter* fel ti. OK?"

Bu rhaid iddo wenu. " 'Dan ni'n haeddu mwy o siampên," meddai.

Gwthiodd drwy'r dawnswyr yn ôl at y bwrdd, gan obeithio nad oedd neb wedi dwyn y botel. Roedd hi'n dal yno. Ond roedd mwy o bobl wedi ymgasglu o'u cwmpas, a phrin yr oedd yna le ar ôl i'r ddau ohonyn nhw ar y fainc. Da iawn. Byddai'n rhaid iddyn nhw swatio at ei gilydd. Tynnodd hi ato a'i gosod i eistedd reit yn ei ymyl. Tywalltodd wydraid o siampên iddi, a gosod ei fraich yn ddidaro ar ei hysgwydd noeth, fel pe bai am ei gwarchod rhag y clybwyr ffyrnig oedd o'u cwmpas ym mhob man.

* * *

Tra oedd Mered yn yfed jin a tonics, gwin coch a siampên efo Meleri, roedd Bethan yn llyncu môr o *cappuccino* wrth wrando ar stori anhygoel Sion Aled. Y creadur! Roedd hi wedi chwerthin nes bod ei hochrau'n brifo. Mi wnaeth hynny fyd o les iddi. Doedd na ddim byd fel coblyn o chwerthiniad da i wella hangofyr a blinder. Roedd Sion wrth gwrs yn difaru dweud dim. Er gwaetha protestiadau Bethan, ofnai y byddai'r hanes yn mynd ar wib ar hyd y winwydden yng Nghaerdydd. Ond roedd ganddo un cysur – a'i gorff cyfan yn llipa fel brechdan roedd sesh y noson cynt wedi bod yn llwyddiant mewn un ystyr, o leiaf.

"Lle mae'r blydi eroplên 'na?" gofynnodd Bethan wrth i'r ddwyawr droi'n dair. "Ella bod y dam thing wedi cael ei heijacio!"

"Ti'n meddwl?" meddai Sion a'i lygaid yn fawr. "Fasa hynny'n ofnadwy. Fasa rhaid i ni ddioddef Eluned Ogwr yn fòs am byth!"

"Go brin, y lembo. Peth arall, fasen ni byth yn ddigon lwcus i fod mewn maes awyr pan 'sa stori fawr fel'na'n torri. Blydi hel, pam mai ni gafodd ein hanfon yma? Mae pawb arall siŵr o fod wedi gadael y swyddfa ac yn ymlacio mewn bàth poeth neu'n magu peint mewn tafarn erbyn hyn!"

"Sbia, mae'r sgrin wedi newid!" gwaeddodd Sion. "Ffleit DA 406 i fod i gyrraedd am hanner awr wedi wyth. Well i ni fynd i'r lle cyfarfod ia? Fyddwn i'n barod i fynd o'ma gynted ag y bydd o wedi cyrraedd wedyn."

"Hy, dim brys. Mi fydd o angen nôl ei fagia a mynd drwy cystyms. Amser am o leia' un coffi arall."

* * *

"O, dim ond chi sy 'na!" Edrychai Ellis Wynne braidd yn siomedig mai Sion a Bethan oedd wedi dod i'w gwfwr o. Roedd o wedi hanner disgwyl Eluned Ogwr, Huw Elfed Hughes, neu o leia' Mered unwaith eto."

"Ti'n hwyr, Ellis," meddai Bethan yn sych.

"O, dw i wedi cael taith ofnadwy!" Edrychai Ellis yn ofnadwy hefyd, a *designer stubble* yn bygwth cuddio'r locsyn bwch gafr, cylchoedd du o dan ei lygaid a'i grys yn hongian allan o'i drowsus. Pe bai wedi bod yn unrhyw un arall, byddai hi wedi tybio'i fod wedi cael homdingar o amser da.

"Sut oedd 'Merica?" gofynnodd.

"O, gwych! LA'n anhygoel! Mi fydd yn rhaid i mi fynd â'r plant yno!" Yna cymylodd ei wyneb. "Ond dw i'm yn meddwl y medra i wynebu'r busnes hedfan yma eto. *Delays* o fore gwyn tan nos. Dw i'n synnu bod unrhyw un yn mynd i unlle! A *turbulence*! Mam bach, ro'n i'n meddwl ein bod ni'n mynd i ddisgyn allan o'r awyr! Na, hwylio amdani, unwaith y bydd Delyth wedi cael llond bol o wylio fideo'r *Titanic*! Wyt ti lawr yng Nghaerdydd am dipyn? Sut mae'r brifddinas yn dy drin di?"

"Wel... y brifddinas yn ol reit, diolch," meddai Bethan yn ofalus. "Popeth yn brysur iawn, 'tydi Sion...?"

"Wrth gwrs. Syndod eu bod nhw'n gallu gwneud hebddat ti yng Nghaernarfon!" meddai Ellis. "Sut mae pethau efo ti, Sion?"

"E?"

"Sut mae pethau efo ti?"

Chym'rodd Sion ddim sylw.

"Pawb 'di blino'n ofnadwy. 'Dan ni wedi bod yn gweithio fel lladd nadroedd," atebodd Bethan drosto.

"Mi fedra i weld. Golwg flinedig ar y ddau ohonoch chi," meddai'r bòs.

"Y dyn 'na'n fan'na!" meddai Sion, yn ddirybudd, a'i lais fel robot. "Dw i'n ei nabod o o rywle!" Pwyntiodd i ganol y dyrfa.

Ond doedd neb yn edrych yn gyfarwydd i'r ddau arall.

"Twt, dychmygu rwyt ti!"

"Na, dw i'n sicr," meddai Sion, a larwm yn canu ym mhellteroedd ei ymennydd. "Hwnna dw i'n 'feddwl! Mae o'n mynd am yr *information desk* rŵan!"

Edrychai pawb oedd yn ymyl y ddesg yn gwbl ddi-nod, ar llanc oedd yn ceisio'u helpu yn amlwg eisiau mynd adref. Gallai Bethan gydymdeimlo.

"Paid â malu. Pwy allet ti fod yn ei nabod yn fan hyn? Well i ni'i throi hi, wir. Ti'n barod, Ellis? Ti isho troli ar gyfer dy ges?"

" 'Drycha. Dw i'n gwybod 'mod i'n nabod y dyn 'na!" Roedd Sion fel mul bach styfnig yn cau symud. "Falla bod 'na boster ohono fo yn y cop shop neu rwbath. 'Wanted. International terrorist'. Neu rywun sy'n ffidlan efo plant."

"Ella mai Elvis ydi o'n mynd i aros efo'i nain yn Rachub. Na, mae hwnna 'chydig yn rhy ifanc i fod yn Elvis. Gawn ni gychwyn, plis?"

"Ie, mi fydd Delyth yn siomedig iawn os bydda i'n hwyr. Ac mi fydd y plant wedi blino'n lân – mi fyddan nhw ar eu traed yn disgwyl amdana i, a'r petha bach eisiau mynd i'r ysgol fory!"

Yna, trodd y dyn wrth y ddesg ac edrych reit arnyn nhw. Ffycing hel! PICO PARRY!

"Arglwydd Iesu Grist! Ti'n iawn!" meddai Bethan. " Dan ni yn ei nabod o! Pic... Pic... Pic... Pico Parry ydi o!!"

"Mi ddeudais i i fod o'n edrych yn gyfarwydd, yn do?" meddai Sion.

"Pico Parry? Felly tydyn nhw byth wedi'i ffeindio fo?" gofynnodd Ellis.

Doedd Pico ddim wedi sylwi arnyn nhw. Dechreuodd siarad yn hamddenol eto efo'r hogyn gwybodaeth.

"Be wnawn ni rŵan?" meddai Bethan.

"Be ti'n 'feddwl?"

"Wel dyna fo'r dyn mae'r holl wlad isho cael gafael arno fo. Sut ydan ni'n mynd i'w gael o i wneud cyfweliad efo ni?"

"Pwyll, rŵan. Does dim isho rhuthro petha..."

"Ellis bach!" Anghofiodd Bethan mai fo oedd y bòs. "Does ganddon ni ddim amser i gymryd pwyll! Ella bod y diawl ar fin gadael y wlad!"

"Dw i'n cynnig ein bod ni'n ei ddilyn o," meddai Sion.

"Fedran ni mo'i ddilyn o os ydi o'n mynd ar awyren! Ellis, mae gen ti beiriant recordio yn does?"

"Peiriant recordio?"

"Mi est ti ag un efo chdi i America 'n do? O'n i'n meddwl dy fod ti'n mynd i wneud eitem yno..."

"O ia... do siŵr."

" 'Sgen ti dâp sbâr?"

"Oes, mae'n siŵr, yn rhywle..."

"Wel, ffeindia fo'n reit sydyn 'ta. Dw i'n mynd i ofyn iddo fo wneud cyfweliad."

"Arhosa funud. Pwy sy'n mynd i'w holi o?"

"Dim ots am hynny!"

Ar hynny gadawodd Pico'r ddesg wybodaeth a dechrau cerdded i gyfeiriad y tiwb.

"Mr Parry... Mr Parry!" Doedd o ddim yn clywed. Ymwthiodd Bethan drwy ganol grŵp o ferched dwyreiniol mewn huganau du, nes bod eu bagiau Gucci'n hedfan. "Mr Parry!"

Taflodd yntau gip dros ei ysgwydd, a cherdded yn gyflymach. Roedd hi'n amlwg nad oedd o eisiau clywed.

Dechreuodd Bethan redeg ar ei ôl. "Mr Parry, Bethan Tomos o orsaf radio Gwifrau Gwalia ydw i. Ydi hi'n bosib i mi gael gair efo chi? Mr Parry, ydach chi'n gwybod bod pawb yn y wlad ar eich ôl chi? Fedrwch chi ddim cuddio am byth. Mae rhywun bownd o gael gafael arnoch chi!"

Cyflymodd Pico Parry eto.

"Mr Parry, wnewch chi wneud cyfweliad efo ni? Os na wnewch chi dw i'n mynd yn syth at y cops i ddeud 'mod i 'di'ch gweld chi'n fa'ma. Mi gewch chi amser haws gynnon ni na fasach chi'n 'gael gan y papura... dim cwestiynau annifyr. Mi rown ni gyfweliad teg i chi os byddwch chi'n onest..."

Gadawodd Pico Parry'r neuadd a mynd i lawr y grisiau am y trên tanddaearol. Damia, roedd siarad efo fo fel siarad efo wal.

"Mr Parry, mi fydd cyfryngau Prydain i gyd ar eich ôl chi unwaith y byddan nhw'n gwybod lle'r ydach chi. Waeth i chi siarad efo ni rwan ddim..."

Anwybyddodd y gwleidydd hi a brasgamu ar hyd y coridor. Ar hynny gwibiodd corwynt heibio. Doedd Sion Aled erioed wedi cyfaddef ei fod yn breuddwydio am chwarae rygbi dros Gymru, rhag ofn i bobl chwerthin am ei ben. Roedd o'n rhy ara deg i ddal annwyd, yn debyg o gael ei falu'n rhacs yn y sgrym ac yn rhy wan i daclo cath fach heb sôn am chwe throedfedd o destosterôn. Ond roedd yn haeddu cap am y modd y taclodd Pico Parry. Hyrddiodd ei hun am ei goesau nes bod y ddau ohonyn nhw'n hedfan. Edrychodd ei ysglyfaeth o'i gwmpas am help, ond ym mherfedd y twnnel roedden nhw'n ddigon pell o gyrraedd unrhyw swyddog diogelwch.

"Hei, pwy 'dach chi'n 'feddwl ydych chi!" bytheiriodd Pico a phoer yn tasgu o'i geg. "Dydw i ddim yn mynd i dderbyn peth fel hyn!" Ceisiodd godi, ond roedd breichiau Sion yn dal yn dynn am ei goesau. "Gadewch i mi fynd! Mae gen i drên i'w ddal!"

"Fyddi di ddim yn mynd ar unrhyw drên nes dy fod ti wedi siarad efo ni!" meddai Bethan.

"Gollyngwch 'y nghoesau i, wnewch chi! Neu mi fydda i'n galw'r polîs!"

"Dw i'n meddwl bod y cops yn eitha awyddus i gael gair efo chdi hefyd. Mae plismyn rownd y wlad wedi bod yn chwilio amdanat ti!"

Ar hynny stryffaglodd Ellis Wynne tuag atyn nhw, a'r peiriant recordio yn un llaw a'r llaw arall yn llusgo'i ges ar ei ôl. Powliai chwys i lawr ei wyneb bach crwn.

"Be sy'n digwydd? Be sy'n digwydd?"

"Ellis, dyma fo dy ddyn di!" meddai Bethan fel pe bai'n cyhoeddi pwy oedd enillydd gêm gwis ar S4C. "Pico, mae'n siŵr dy fod ti'n nabod Ellis Wynne, Golygydd Newyddion Gwifrau Gwalia. Efo pwy fasa orau gen ti siarad, efo fo 'ta efo'r heddlu?"

Edrychai Pico Parry fel pe byddai'n hoffi llofruddio'r tri ohonyn nhw, yn araf ac arteithiol. Ymdrechodd i godi ar ei draed eto, gan sathru bysedd Sion Aled efo'i sawdl sgleiniog. Gwgodd, a hel llwch dychmygol oddi ar ei siwt.

"Ol reit. Mae'n debyg nad oes gen i fawr o ddewis. Ond ddim yn fan hyn," sgyrnygodd yn drahaus. "Os ydych chi'n meddwl 'mod i'n mynd i wneud cyfweliad efo chi yng nghanol y coridor 'ma, 'dach chi'n gwneud andros o gamgymeriad!"

* * *

"Oeddet ti'n meddwl e pan wedest ti byddet ti'n rhoi job gohebydd i fi?" gofynnodd Meleri dros ei siampên.

"Byddwn, fory nesa," meddai Mered.

"Ti'n siŵr? Ti ddim jest yn bod yn neis i fi?"

"Bendant. Mae'r gallu yna, ac mae gen ti lais da. Angen gweithio 'chydig ar dy Gymraeg di, ond buan y basa hynny'n dod."

"O wel, Sais yw Dad, ti weld. Saesneg ni'n siarad gartre. Es i i ysgol Gymraeg ac wi'n siarad Cymraeg 'da Mam, ond so ni ar ein penne'n hunen 'da'n gilydd yn aml."

"Paid â phoeni. Mater bach ydi iaith – dim llawer sydd yn siarad Cymraeg yn berffaith."

"Wyt ti'n meddwl y bydd jobs yn dod lan 'da Gwifrau Gwalia yn fuan 'te?"

"Dw i ddim yn siŵr... mae na *turnover* reit uchel yn y diwydiant yma. Mae Sion Aled wedi bod efo ni am jest i flwyddyn rŵan. Mi fydd o isho symud yn ei flaen rywbryd mae'n debyg. Ac, i ddeud y gwir wrthat ti, dw i'n meddwl y bydd angen ymchwilydd arall arnon ni pan agorith y Cynulliad. Mae dy yncl wedi gwrthod chwilio am un hyd yma, er mwyn arbed gwario, ond dw i'n siŵr na fydd ganddo fo ddewis yn y pen draw."

"O, pwy fydd yn penderfynu pwy gaiff honna?"

"Wel, dy yncl ac Ellis Wynne yn bennaf mae'n siŵr."

"Fyddi di ddim yn helpu?"

"Wel, gohebydd ydw i, ddim *management*, ond dw i'n siŵr y medra i dynnu ambell i linyn."

"Gallet ti rhoi gair mewn drostaf fi? Efo pobol y stafell newyddion dw i'n meddwl. Basa Yncl Huw ddim moyn dangos *favouritism* os 'yn nhw ddim yn lico fi."

"O, paid â phoeni." Sythodd Mered yn bwysig. "Mi ga i air yng nghlust Ellis. Dweud cystal eitem wnest ti heddiw aballu. Mae'n siŵr y cei di gyfle i wneud mwy, hefyd. Am faint wyt ti hefo ni?"

"Pythefnos a hanner, i gyd."

"Ti'n siŵr o gael gwneud mwy, felly. Digon o gyfle i ddangos dy dalent." Gwasgodd ei hysgwydd, a chan nad oedd hi'n edrych fel pe bai'n meindio, dechrau chwarae â strap ei ffrog.

"Wyt ti moyn danso eto?"

"Ti'n meddwl 'mod i'n ddigon da?"

"Wi 'di addo dysgu ti, yn dofe? Dere."

Cododd Meleri a gafael yn llaw Mered i'w lusgo i ganol y llawr. Roedd yn llawnach erbyn hyn, a chyrff yn siglo o'u cwmpas ym mhob man. Doedd gan Mered ddim syniad beth i'w wneud. A dweud y gwir, roedd y gerddoriaeth yn brifo'i glustiau, yn sgrechian a phwnio fel seiren ambiwlans, larwm tân a llond bocs o fangyrs yn cael eu tanio efo'i gilydd.

"Ymlacia!"

"Beth?" Gwasgodd ei law at ei glust a gwylio'i cheg i geisio dehongli be roedd hi'n ei ddweud.

"Ymlacia. Gad i dy hun mynd efo'r miwsig. 'Drych!"

Edrychodd Mered arni'n hanner cau ei llygaid ac ysgwyd ei phen-ôl yn rhythmig i gyfeiliant y drwm a'r bas. Ceisiodd ei hefelychu ond doedd dim iws. Biti na fedrai fynd â hi adre i ddangos tipyn o rythm o fath gwahanol iddi.

Laaa-la-la-la-la-la-la-bamba! Newidiodd y miwsig yn sydyn. Hwrê! O'r diwedd dyna rywbeth roedd o'n ei nabod! Gafaelodd yn llaw Meleri, rhoi'i fraich arall am ei chanol a'i thaflu o un ochr i'r llall. We-hei, dyna ddangos iddi o'r diwedd ei fod yntau'n gallu dawnsio! Rownd a rownd â nhw, yn gynt a chynt, a Mered yn ei throelli o dan ei fraich bob yn hyn a hyn. Gallai wneud hynny cystal ag unrhyw un o'r trendis ifanc, meddyliodd, gan symud yn wylltach. Roedd y ddau yn chwil ulw, yn taro i mewn i'w gilydd ac i'r rhai oedd yn dawnsio o'u cwmpas. Cododd Mered ei bartneres, a chlymodd hithau ei choesau amdano yn union fel pe baen nhw'n ceisio cael rhan yn *Dirty Dancing*. Taflodd hi i fyny ac i lawr, a'i ddwylo am ei phen-ôl yn ei chadw yn ei lle. Byddai unrhyw un oedd yn sefyll y tu ôl iddyn nhw wedi taeru eu bod yn cael rhyw ar ganol y llawr dawnsio. Roedd y fath ymdrech yn hanner lladd Mered, ond hyd yn oed yng nghanol y mwg a'r chwys, llwyddodd i werthfawrogi'r bronnau yn bownsio i fyny i'w gyfarfod gyda phob hyrddiad.

"Waw! Wi'n tynnu geirie fi'n ôl. Ti yn gallu danso. Ti jest angen y miwsig iawn." Sychodd Meleri'r chwys oddi ar ei thalcen.

"Iesu," tuchodd Mered. "Dw i'n meddwl y dylen ni fynd yn ôl i ista." Gafaelodd yn dynn iawn am ei chanol, a'i llusgo'n ôl at y fainc. Ychydig o siampên oedd ar ôl. "Potel arall?"

Edrychodd Meleri ar ei horiawr. "Na, sa i'n credu. Mae bron yn hanner nos. Dylen ni trio cael tacsi."

"Ol reit." Roedd hi'n rhyddhad meddwl na fyddai'n rhaid dawnsio fel yna eto.

Ymwthiodd y ddau allan o'r clwb.

"Lle ti'n byw?"

"Cathays. Studentland. Be amdanat ti?"

"Pontcanna. Ond mi gawn ni dacsi efo'n gilydd. Tydi o ddim yn bell allan o'n ffordd i. Fydda i'n fodlon dy fod ti wedi cyrraedd adra'n saff wedyn."

Dringodd y ddau i mewn i dacsi a rhoddodd Meleri gyfarwyddiadau i'r gyrrwr.

"Diolch i ti am y noson mas, Mered. Ma' fe 'di bod yn hwyl."

"Pleser o'r mwya." Plygodd Mered i hawlio sws glec.

"Wyt ti moyn dod mewn am coffi? Wi byth mynd syth i'r gwely ar ôl bod mas."

"Wel… ti'n siŵr?"

"Odw. Gelli di galw tacsi arall o tŷ fi wedyn."

"Ol reit 'ta. Diolch." Talodd Mered i'r gyrrwr a dilyn Meleri i'r tŷ.

Rêl tŷ stiwdants oedd o; soffa siabi wedi hanner ei gorchuddio â chwrlid Indiaidd, cadair freichiau efo stwffin yn dod allan ohoni, waliau'n frith o bosteri, lamp efo bylb coch ynddi a silffoedd simsan yn dal system stereo ddrudfawr.

"Mae tri o ni'n byw 'ma," meddai Meleri. "Janine, Peter a fi. Mae'n lot o sbort. Ni i gyd yn gwneud *Media Studies*. Pa miwsig ti'n lico? Wi *really into Welsh bands*. Catatonia a Stereophonics a pobol felly. Gei di ddewis."

Roedd Mered wedi clywed am y grwpiau ond doedd o ddim yn sicr pwy oedd pwy. Dewisodd CD Catatonia gan ei fod yn weddol sicr eu bod nhw'n wrandadwy.

"Maen nhw'n cŵl yn d'yn nhw," meddai Meleri.

"Wyddost ti be, i mi fydd 'run grŵp Cymraeg yn gallu curo Edward H."

"Edward pwy?"

"Dim ots," meddai Mered, gan ofni ei fod yn dangos ei oed.

"Be ti moyn, te neu coffi?"

"Coffi plis, du, dau siwgwr. Ti'n meindio os ga i ffag?"

"Na, *be my guest*."

Diflannodd Meleri i'r gegin. Pwysodd yntau'n ôl ar y soffa i fwynhau ei sigarét.

"Ti'n smoco, Mered?" Dychwelodd Meleri efo dau fyg chwilboeth.

Edrychodd Mered yn syn arni. "Be arall dw i'n 'neud rŵan?"

"Na, *smoco* smoco wi'n 'feddwl."

"Be... cyffuria?"

"Wel, dim ond dôp. Sa i mewn i cyffuriau caled na dim byd felly."

"Wel... ym..." Pesychodd Mered. Roedd o wedi trio cannabis unwaith neu ddwy yn y saithdegau, ond ac yntau'n feddw dwll ar y pryd doedd o ddim yn cofio llawer am y profiad.

"Ti moyn rhannu joint 'da fi nawr?"

"Ia, OK. Iawn."

"Wnei di ddim dweud wrth neb yn y swyddfa am hyn, na wnei? Sa i moyn i Yncl Huw i wybod bo' fi'n smoco." Glynodd Meleri dri Rizla yn ei gilydd a thywallt rhimyn o faco iddyn nhw.

"Na, sonia i ddim gair."

"Sa i'n gwneud lot o *drugs*, ond wi'n gwybod y galle fe harmio gyrfa fi, 'sa rhai pobol yn ffeindio mas. *Anyway*, wi'n credu bod cannabis yn *completely harmless*." Estynnodd lwmp bach du o focs matches, ei danio a malu briwsion ohono am ben y baco. "Dyna ti," meddai ar ôl rhowlio'r cyfan yn sigarét drwchus a'i thanio.

Sugnodd Mered hi a dal y mwg yn ei geg am eiliad cyn ei lyncu. Iesgob. Gwell hit ar hwn nag ar ei Bensons.

Eisteddodd Meleri yn ei ymyl a chymryd y joint oddi arno. Fe'i drachtiodd gydag arddeliad. "Ti'n gwybod, wi'n joio hwn lot mwy nag alcohol. So ti'n deffro 'da *massive hangover* bore wedyn."

Cofiodd Mered bennill a ddysgodd yn Steddfod Aberteifi.

O Fari, Fari Wana
Fe roist i mi flas ar fyw
Drwy rin dy ryfedd ledrith
Fe glywais lais fy Nuw.

"Ti'n be?" meddai Meleri gan chwerthin. Bu raid i Mered ei hailadrodd. "Ti'n gwybod be? Ti'n *really funny*. Wi'n lico 'na mewn dyn."

Asgob, meddyliodd Mered. Mae'n rhaid 'mod i'n uffar o foi. Closiodd ati, a dweud yn hollol ddifrifol, "Ti sy gan y llygaid glasaf a welais i 'rioed, a dw i isho boddi ynddyn nhw." Tybiodd ei bod hi wedi gwenu.

"Mae hyd yn oed *corny chat up lines* ti'n *funny*," meddai.

Yna gwnaeth rywbeth rhyfeddol. Fel pe bai hi mewn slow motion, gwelodd Mered hi'n cymryd y joint oddi arno a'i roi mewn blwch llwch. Yna, gosododd ei breichiau amdano, ei gwefusau ar ei rai o a rhoi clamp o gusan iddo. Am eiliadau hir, teimlai fel pe bai'r ddau ohonyn nhw'n hedfan ar garped hud. Arglwydd mawr, roedd y dduwies ifanc, rywiol hon efo'r gwallt melyn a'r bronnau perffaith yn ei snogio! Gorweddodd yn ôl mewn hanner perlewyg cyn sylweddoli y dylai yntau wneud peth ymdrech. Tynnodd hi ato, gan deimlo ei fod wedi cael trwydded i'w byseddu, a rhedeg ei ddwylo ar hyd ei chorff. Lapiodd ei dafod llaith, garllegog am ei un hi. Gwasgodd yn ei herbyn ac agor y zip i lawr cefn ei ffrog. Gwingodd hithau wrth deimlo'i ddwylo ar ei chroen. Tynnodd y strapiau i lawr. Doedd dim bra i'w rwystro. O mam bach, dyna odidog! Gwthiodd un fron i mewn i'w geg a dechrau sugno a llyfu nes ei bod yn griddfan. Trodd ei sylw i'r llall – rhaid oedd bod yn deg – a dechrau'i chusanu hithau gydag arddeliad. Roedd Meleri'n cael ei dal i lawr ond llwyddodd i ymbalfalu am ei falog. Asgob, roedd hon yn danbaid! Chafodd hi ddim trafferth ei agor, a rhyddhau'r bidlen. Plannodd Mered ei ben rhwng ei bronnau tra oedd hi'n mwytho'r Fawr. Yna rhowliodd drosodd i afael yn ei chluniau, a symud ei law i fyny'r sgert. Gwthiodd ei fysedd o dan y mymryn nicer a dechrau cosi a chrafu. Roedd ei hochneidiau'n awgrymu ei fod ar y trywydd iawn.

" 'Sdim ishe hwn nawr, nac oes e." Gydag phlwc sydyn, tynnodd y triongl lês oddi amdani gan roi rhwydd hynt i Mered archwilio fel y mynnai. Ar fin tynnu ei drowsus yr oedd o pan eisteddodd hi i fyny. "Arhosa funud. Gad i ni fynd i rywle mwy cyfforddus."

Roedd Mered yn ddigon cyfforddus lle roedd o, diolch yn fawr, ond doedd o ddim am ddadlau. P'run bynnag, doedd dim byd i rwystro unrhyw un rhag cerdded i mewn i stafell fyw tŷ stiwdants. Safodd Meleri a thynnu'r mymryn ffrog dros ei chluniau. Sythodd ei gwallt a gafael yn llaw ei chymar newydd. Roedd masgara a phensal ddu wedi dianc oddi ar ei llygaid dros ei hwyneb. Edrychai fel pe bai wedi cael ei churo, yn gleisiau i gyd. Dim ots, roedd hi'n dal yn dlws iddo fo. Ufuddhaodd a chodi oddi ar y soffa. Dilynodd hi i fyny'r grisiau yn nhraed ei sanau, a'i falog yn agored a'i bidlen yn sbecian allan yn ddigywilydd. Sylwodd hi ddim bod ei nicer yn belen wrth droed y soffa. Ar ben y grisiau rhoddodd ei breichiau amdano, a chlamp o sws arall iddo.

"Mered, 'yn ni'n mynd i gael yffach o noson!" Agorodd y drws a'i arwain i'r llofft.

Yna rhewodd y ddau. Roedd dyn yn y gwely'n barod.

* * *

"Tydan ni ddim yn symud cam o'r fan yma nes ein bod ni'n cael atebion gonest."

Chwifiodd Bethan allweddi'r car o dan drwyn Pico Parry a'u cau yn saff yn ei bag. Ym maes parcio'r maes awyr yr oedden nhw, Sion a hi yn nhu blaen y car ac Ellis a'r gwleidydd yn y sedd gefn.

"Dw i 'rioed wedi gweld dim byd tebyg i hyn. Mi allai troseddwr cyffredin ddisgwyl gwell triniaeth!" poerodd yntau.

"Cyn belled ag y gwyddom ni, dyna wyt ti," meddai Bethan.

"Rŵan, Bethan, does dim angen bod yn annifyr. Dw i'n siŵr bod gan Mr Parry stori hollol resymol," dywedodd Ellis yn ffals. "Os gwnewch chi jest bod yn amyneddgar efo fi am funud, Mr Parry, tra 'mod i'n sortio'r peiriant 'ma allan. Pico Parry, darpar ymgeisydd y Blaid Lafur ar gyfer y Cynulliad Cenedlaethol yn Ninas Caerdydd, yn siarad yn ecsclwsif â Gwifrau Gwalia..."

Roedd hi'n amlwg mai amynedd oedd y peth diwetha yr oedd Pico am ei ddangos. "Cut the crap, wnewch chi, a gofyn cwestiynau call!"

"O... ol reit... sori... y... y... y... jest deudwch wrthyn ni lle 'dach chi 'di bod dros y dyddiau diwetha 'ma."

"Dw i wedi bod i ffwrdd ar wyliau. Ychydig o seibiant cyn i'r ymgyrch ar gyfer etholiadau'r Cynulliad ddechrau."

"O... y... ymhle?"

"Yn Sbaen. Ychydig ddyddiau gyda ffrindiau, dyna'r cyfan."

"Caletach. Think Paxman!" sibrydodd Bethan wrth ei bòs.

"Mr Parry," meddai hwnnw gan glirio'i wddw. "Ydach

chi'n sylweddoli bod yr heddlu wedi bod yn chwilio ar hyd a lled Cym... Prydain... ar hyd a lled Prydain amdanoch chi?"

Edrychodd Pico'n flin. "Dw i'n methu deall pam. Oes gan ddyn ddim hawl mynd ar wyliau y dyddiau hyn? Er mwyn dyn, dim ond am ychydig nosweithiau y bues i i ffwrdd..."

"Ond heb ddweud wrth neb?"

Cododd Bethan ei bawd ar Ellis.

"Wrth bwy y dylen i ddweud? Oes angen caniatâd y cyfryngau arna i i fynd i ffwrdd neu rywbeth?"

"Ddim y cyfryngau, nac oes, Mr Parry." Gwthiodd Ellis ei frest allan fel 'deryn. "Ddim y cyfryngau mae'n amlwg. Ond beth am eich partner?"

"Ai Ceidwad fy mhartner ydw i?" brathodd Pico. "Roedd e yn y gogledd pan benderfynais i fynd. Fe geisiais i gysylltu ond fedrais i ddim cael gafael ynddo fe. P'run bynnag, r'yn ni'n dau yn bobol prysur ac annibynnol iawn. Mae 'da ni'n bywyde'n hunain..."

"Ond mi wnaeth Mr Bird gyfweliad â Gwifrau Gwalia yn apelio'n daer arnoch chi i gysylltu â fo..."

Edrychodd Pico'n wirion. "Chlywes i 'rioed ddim byd mor hurt yn 'y mywyd! Ychydig ddyddie oddi cartref ac mae'r cyfrynge'n gwneud môr a mynydd o'r peth. Dyna ydi'r drwg gyda gorsafoedd radio bach tila fel eich un chi. R'ych chi'n cael gafael mewn hanner stori – y pen rong ohoni hefyd fel arfer – ac 'ych chi'n mynd dros ben llestri'n llwyr!"

"Caletach!" sibrydodd Bethan.

"Doedd eich partner chi ddim yn credu'n bod ni'n mynd dros ben llestri. Roedd o'n bryderus tu hwnt."

"Ei broblem e ydi hynny," meddai Pico mewn llais

fel taran. "Fel rwy'n deud, rydyn ni'n ddau berson annibynnol, efo'n bywydau'n hunain!"

"Ydach chi ddim wedi cael ffrae, nac ydych?" gofynnodd Ellis.

Roedd wyneb y gwleidydd fel awyr cyn storm. " 'Drychwch. Tydw i ddim yma i siarad am fy mywyd personol. Tydi'r hyn sy'n mynd ymlaen rhyngddof i a 'mhartner yn ddim o'ch busnes chi na neb arall. Nawr gofynnwch gwestiynau call, os 'ych chi am ofyn rhywbeth o gwbl"

"Mr Parry, ydych chi ddim yn poeni bod y ffaith eich bod chi wedi bod ar goll ers dyddiau yn mynd i fod yn embaras i'ch plaid?"

"Embaras? Peidiwch â bod yn hurt, ddyn. 'Drychwch, rwy' wedi cael llond bol ar hyn. Gadewch i mi fynd allan o'r car yma yn enw'r Tad! Dw i 'rioed wedi gweld y fath *set up* yn 'y mywyd. Newyddiadurwyr dwy-a-dime o orsaf radio nad oes neb yn gwrando arni... fe fydda i'n cael gair gyda'ch penaethiaid chi am hyn!" Gafaelodd yn ei friffces yn un llaw, ei fag teithio yn y llall, rhoi hergwd i ddrws y car a brasgamu ar draws y maes parcio.

"Bobol bach! Be oeddech chi'n 'feddwl o hynna?" Edrychodd Ellis Wynne yn syfrdan.

"Briliant! Blydi grêt! 'Dan ni wedi curo'r BBC a'r papura a phawb! Y *Sun* a'r *News of the World* hyd yn oed!" tagodd Bethan.

"Ond... i be oedd o'n rhedeg i ffwrdd os mai dim ond wedi bod ar wyliau roedd o?"

"Deud celwydd oedd o, 'de. Mae'n amlwg bod gan y diawl rywbeth i'w guddio. Ond dim ots. Ni gafodd hyd iddo fo. Ni sydd wedi cael y cyfweliad cynta efo Pico Parry!"

"Ecsclwsif! Ecsclwsif go iawn! 'Dan ni wedi cael ecsglwsif ar Gwifrau Gwalia! Ddylen ni gael miloedd mwy o wrandawyr ar ôl hyn. Dewch i ni fynd yn ôl i Gaerdydd cyn gynted ag y gallwn ni!" meddai Ellis Wynne fel dyn mewn perlewyg.

* * *

"Jeremy! Oeddwn i ddim yn gwybod bod ti'n dod yma heno! Sut doist ti i mewn?" llefodd Meleri ar ôl eiliadau hir o dawelwch.

Cododd y dyn ar ei eistedd. "Mae hynny'n amlwg! Ti ddim yn falch o 'ngweld i? Pwy 'di'r gŵr bonheddig 'ma?"

"Ffrind i mi o Gwifrau Gwalia," meddai hi. Brysiodd Mered i gau ei falog. "Mered, ddylen i fod wedi dweud wrthyt ti. Dyma Jeremy, 'nghariad i."

Syllodd Mered arno. Roedd hon yn amlwg yn licio dynion hŷn, meddyliodd. Roedd Jeremy yn ei dridegau canol, yn prysur fynd yn foel a chanddo fwstash hir fel pe bai'n gwneud i fyny am y diffyg gwallt ar ei ben. Gydag ysgwyddau llydan a charped o flew ar ei frest, edrychai fel hanner dyn, hanner epa.

"Jeremy, pwy adawodd ti i mewn yma?"

"Janine. Doedd hi ddim yn meddwl y byddet ti'n meindio. Doedd hi ddim yn disgwyl i ti fod yn hwyr, chwaith. Wedi mynd i gyfarfod rhywun i siarad am dy ddyfodol oeddet ti meddai hi. A hwn ydi dy *careers adviser* di ia?" Daeth yn agos at boeri ar Mered.

Teimlodd yntau'i hun yn cochi. " 'Drychwch... ddylwn i ddim bod yma... 'sa'n well i mi fynd..."

"*Hang on*, boi, dal dy ddŵr," gorchmynnodd Jeremy. "Oeddet ti'n gobeithio cael amser da efo'r gnawes fach ddrwg yma, oeddet?" Neidiodd allan o'r gwely a sefyll o flaen y ddau yn noethlymun groen. "Oeddet ti'n chwilio am dipyn o hanci panci? Wel, mae hon wrth ei bodd efo hanci panci! Ty'd yma, cariad." Hoeliwyd Mered i'r llawr mewn braw. Wnaeth Meleri ddim symud. "Mi ddeudais i, ty'd yma!" Cymerodd gam yn nes ati ac estyn ei law fel pe bai am anwylo'i gên. Yn sydyn rhoddodd hergwd iddi nes ei bod yn disgyn yn glewt ar y gwely.

"Paid! Fedri di ddim gwneud hynna iddi!"

Trodd yr epa wrth glywed Mered yn gweiddi.

"Pwy sy'n deud? Os ydi'r slwten fach yn cambyhafio, mae'n rhaid iddi gael ei chosbi yn does? Pwy wyt ti i fusnesa?"

"Meleri, does dim rhaid i ti ddiodda hyn!"

"A be wyt ti am ei wneud, hy? Ti ydi'r *knight in shining armour* yn carlamu i mewn ar dy geffyl gwyn ia? Siawns na fasa hi wedi gallu ffendio rhyw arwr gwell na chdi!" Daeth ato a phwnio'i frest efo'i fys. Teimlai Mered yn wan a diymadferth. "Ti ddim yn licio bod gan dy damad bach di rywun arall, nac wyt. 'Dach chi i gyd 'run fath, pobol y cyfrynga. Meddwl bod chi'n *It*. Meddwl y gallwch chi brynu unrhyw un efo 'chydig bach o bres a dylanwad!" Cododd ei law eto, a chan godi arswyd ar Mered, gwneud osgo rhoi mwythau iddo. "Ti'n rêl cyfryngi, 'dwyt! Pen bach! Ar ben y byd tra ma' petha'n mynd yn iawn i ti!" Yna, fel mellten rhoddodd ei law ar ei falog. Ymbalfalodd am y bidlen. Bu bron i Mered gael harten. "Ond dwyt ti ddim cymaint o foi ag wyt ti'n licio meddwl yn nac wyt!"

Dyna pryd y sylweddolodd Mered pwy oedd o. "Meleri, ers faint wyt ti'n nabod hwn? Ti'n gwybod pwy ydi o?" tagodd.

"Fy narlithydd i yn y coleg yw e. Jeremy Bird. Ni'n

mynd mas 'da'n gilydd ers dau fis."

"Wyt ti'n sylweddoli ei fod o'n hoyw. Ti'n gwybod efo pwy roedd o gynt?" Edrychodd Meleri'n syn. "Mi ddeuda i wrthat ti! Hwn ydi cariad Pico Parry!"

"Mae popeth drosodd rhwng Pico a fi. Efo Meleri rydw i rŵan!"

"Meleri, fedri di ddim gwneud hyn! Fedri di ddim caru efo dyn hoyw! Ti ddim yn gwybod lle mae o 'di bod na be mae o 'di bod yn ei wneud..."

Edrychodd Jeremy'n wawdlyd arno. "O, na fedar hi? Dw i'n meddwl y gellith hi wneud penderfyniadau felly drosti hi ei hun!"

"Meleri, ti ddim yn gwybod be ti'n 'neud, hogan..." Dim ateb. "Oeddet ti ddim yn gwybod am... am gefndir hwn yn nac oeddet? Dywed rwbath! Plis!"

Atebodd hithau mewn llais isel. "Oeddwn i wedi clywed y *rumours*."

"Y *rumours*? Pa fath o *rumours*?"

"Be roedden nhw'n 'ddweud yn y coleg. Bod Jeremy'n hoyw. Ond doedd dim ots 'da fi. Oeddwn i'n ffansïo fe ta beth."

Crychodd Mered ei drwyn mewn atgasedd. "Dwn i'm sut y medar unrhyw hogan gysgu efo dyn... dyn sy wedi bod efo dynion eraill!"

Daeth Jeremy'n ddigon agos ato i ogleuo'r garlleg ar ei wynt. "Ella bod pawb ddim mor ffycing gul â chdi!"

"Ddim cul ydi hynna! Tydi'r peth ddim yn naturiol! O ych a fi!" Cuddiodd ei ben yn ei ddwylo.

Aeth Jeremy at y drws a'i agor yn llydan. "Ti'n pathetic! Jest cer o 'ngolwg i wnei di?"

Gwnaeth Mered un ymdrech arall. "Meleri, ti'n meddwl bo' chdi'n saff efo hwn? Mae croeso i ti ddod adra efo fi. Gei di gysgu ar y soffa yn y stafell fyw os wyt ti isho."

"Na, wi'n aros fan hyn," meddai hi mewn llais bach.

Ysgydwodd Mered ei ben mewn anobaith.

"Ti'n clywed be ddeudodd hi!" poerodd yr anghenfil noeth. "Ti 'di gwneud digon o helynt am un noson. Rŵan cer! Ffyc off!"

Trodd Mered a'i heglu hi. I lawr y grisiau â fo, ac ymbalfalu am ei esgidiau yn y stafell fyw. Brysiodd i gau ei gareiau, gafael yn ei siaced a'i gwneud hi am y drws. Phiw! Dyna braf oedd bod allan! Gydag ochenaid o ryddhad, dechreuodd gerdded y milltiroedd hir tuag adref.

PENNOD 8

EISTEDDAI ELLIS WYNNE fel brenin yng nghanol y stafell newyddion yn sugno edmygedd ei staff. Roedd y cyfweliad wedi cael ei anfon i'r stiwdio erbyn chwech y bore (nid fo'i hun a wnaeth hynny wrth gwrs – i be roedd ymchwilwyr yn dda?), ei ddarlledu, a'r cyfan roedd yn rhaid iddo fo'i wneud bellach oedd gloddesta ar y ganmoliaeth.

"Llongyfarchiade, Ellis. Shwd lwyddest ti i gael gafael ar Pico, 'te? Rhaid bod dy glust ti'n agos at y ddaear!" meddai Heledd Haf. Roedd hi'n hapus gan iddi, am unwaith, gael rhaglen ddidramgwydd.

"O, mae gen i syniad go lew be sy'n mynd ymlaen yn y byd. Ti'n magu trwyn am stori, wyddost ti, ar ôl blynyddoedd o newyddiadura," broliodd yntau.

"A'i berswado fe i siarad. Oedd hynny'n anodd?"

"Wel, doedd o ddim yn rhy awyddus i ddweud dim byd i ddechrau. Ond pan mae gen ti gymaint o brofiad â fi, ti'n magu'r gallu i berswadio."

Edrychodd Sion a Bethan ar ei gilydd yn syn. Os oedd y naill neu'r llall ohonyn nhw'n disgwyl i'w cyfraniad nhw at y sgŵp gael ei gydnabod, mi gawson nhw'u siomi.

"Ardderchog, Ellis. Da iawn ti, was. Braf dangos pa mor flaengar y gall Gwifrau Gwalia fod!" Camodd Huw Elfed i mewn, a'i fol o'i flaen a'i nith y tu ôl iddo. Aeth Ellis yn binc gan bleser. "Dyma ti, Meleri. Dw i ddim yn meddwl dy fod ti wedi cyfarfod Ellis Wynne, Golygydd

Newyddion Gwifrau Gwalia yn naddo? Sgŵps fel ei un o rydan ni eu heisiau os wyt ti am ddod i weithio aton ni. Ty'd i'r swyddfa am whisgi cyn cinio, Ellis."

"Shwd 'ych chi, Ellis," cilwenodd Meleri, gan synhwyro mai dyma'r dyn i glosio ato y diwrnod hwnnw.

Roedd cysgodion tywyll o dan lygaid Mered. "S'ma'i, Meleri," meddai yntau.

Prin y cafodd y cyfarchiad ei gydnabod. Cyn pen hanner awr, fedrai'r Gohebydd Gwleidyddol ddim dioddef rhagor. Roedd y bòs yn chwilio am ganmoliaeth fel ci eisiau cosi ei fol. Fydd o'n dechrau shagio'n coesa ni'n y munud, meddyliodd.

"Mae 'na lot mwy i'r stori Pico Parry 'ma nag mae'r rhain wedi'i ffeindio, 'sti." Crwydrodd yn ddidaro at ddesg Eluned Ogwr.

Edrychodd hithau'n gas. Roedd hi'n flin ei bod wedi colli ei gorsedd yn y swyddfa wydr. "O. Ac rwyt ti'n gwybod rhywbeth nad yw'r gweddill ohonon ni, wyt ti?"

"Gwranda!" Gostyngodd Mered ei lais. "Lwc mul oedd hi bod Ellis wedi digwydd dod ar draws y diawl yn Heathrow. Ond mae o'n byhafio fel 'tasa fo wedi mynd yno'n unswydd i'w ddal o. A sôn am gyfweliad tila! Ydan ni rywfaint callach be mae Pico wedi bod yn ei wneud dros y dyddiau diwetha?"

Rhoddodd Eluned glamp o sniff. "So ti'n derbyn be wedodd e, 'te? Mai bant ar wylie ma' fe 'di bod?"

"Nac 'dw. Mae 'na fwy i'r peth na hynna. Mae 'na ddrwg yn y caws yn rhywle. Dw i 'di deud o'r dechra bod 'na ryw drafferthion rhyngddo fo a'i gariad."

Culhaodd llygaid Eluned. "Beth 'yt ti'n 'wybod 'te?"

"Dim. Wel... dim ond... sbia, fedra i ddim deud gormod yn fan hyn. Gormod o glustia bach o gwmpas y

lle ym mhob man. Gawn ni gyfarfod am ginio? Y Prins O'
Wales am chwarter wedi un?" Trodd a diflannu, gan adael
Eluned yn crychu ei thrwyn wrth feddwl am fynd i'r fath
le coman.

Coman neu beidio, roedd ei chwilfrydedd yn drech na
hi ac am chwarter wedi un roedd hi'n camu dros y trothwy
i ganol arogl cwrw stêl. Roedd Mered yno'n barod.

"Hai Lun, be gym'ri di?" meddai.

Edrychodd Eluned yn hyll. Roedd yn gas ganddi gael
ei galw'n Lun. "Sudd oren, os gweli di'n dda."

"Dyma hi'r fwydlen."

Edrychodd Eluned ar y dewis. Sosej, wy a tships;
biffbyrgyr, wy a tships; neu *battered cod, mushy peas* a
tships. Penderfynodd wrthod y cyfan. "Wel?" meddai, yn
hanner disgwylgar.

"Wel be?"

"Pico Parry!"

"O, ia. Dw i'n meddwl bod 'na lot mwy i'r stori nag
rydan ni wedi'i glywed hyd yn hyn."

"Ti 'di deud 'na yn barod!"

"O do. Sori."

"Wi moyn gwybod beth oe't ti ishe'i ddweud na fedret
ti'i ddweud yn y swyddfa!"

"Iawn." Ar y gair cyrhaeddodd cinio Mered a bu raid i
Eluned ddisgwyl iddo dywallt halen, finegr a sôs coch
dros ei tships. "Wel, digwydd dod ar draws Jeremy Bird
wnes i ddoe, a chael rhyw awgrym nad ydi petha'n iawn
rhyngddo fo a Pico." Stwffiodd ddarn o sosej i'w geg.

"Lle welaist ti e?"

"O..." Aeth Mered yn amwys. "... yn nhŷ rhyw
ffrindia..."

"A beth 'wedodd e wrthyt ti?"

"Wel… dim llawar a deud y gwir. Gwrando ar y sgwrs yn gyffredinol roeddwn i. Doedd o ddim yn siarad efo fi'n benodol."

"Ofynnest ti ddim iddo fe? Dyw e ddim fel ti i fod yn swil!"

"Wel, ches i ddim lot o gyfle…"

"Yn nhŷ pa ffrindie oeddech chi ta beth? Allet ti ddim gofyn iddyn nhw be sy'n mynd 'mlaen?"

"Wel…" pesychodd Mered yn annifyr. "Sefyllfa braidd yn sensitif… 'sa petha wedi gallu troi'n gas… dyna pam doeddwn i ddim isho deud yn y swyddfa…"

"Mered!" Doedd helyntion carwriaethol y Gohebydd Gwleidyddol fawr o gyfrinach mewn gwirionedd, er nad oedd o ei hun yn sylweddoli bod ei gyd-weithwyr yn gwybod amdanyn nhw.

" 'Drycha, Luned. Awn ni ddim i edrych yn rhy fanwl lle roeddwn i neithwr, na sut y dois i ar draws Jeremy Bird. Y pwynt ydi na fedra i fynd 'nôl yno. Ond mae Gwifrau Gwalia wedi colli cyfle, a dw i'n siŵr bod 'na uffar o stori dda i'w deud. Ti ddim am weld Ellis Wynne yn gloddesta mewn moliant o hyn hyd 'Dolig yn nac wyt?"

Hynny siglodd Eluned Ogwr. Unwaith y dechreuodd hi feddwl am y stwcyn bach tew yn ei ogoniant ar ddeheulaw Huw Elfed, roedd hi ar ochr Mered.

* * *

Parciodd Mered y tu allan i gartref Pico Parry, ac Eluned Ogwr yn y stryd lle'r oedd Meleri Hughes yn byw. Edrychai'r BMW allan o le rhwng Skoda a Morris Minor deng mlwydd ar hugain oed, ond os mai dyna beth oedd yn rhaid ei wneud er mwyn y stori…

Cymerai Mered ei waith ditectif O Ddifri. Gyda phâr o sbectols tywyll am ei drwyn (rhag iddo gael ei adnabod) suddodd yn ddyfnach i'r sedd flaen a setlo i wylio. Asu, roedd o wedi blino. Roedd y daith o dŷ Meleri i'w gartref y noson cynt wedi bod yn dipyn o dreth. Biti ei fod wedi colli'r cyfle i gael jwmp, hefyd. Ond dyna i chi jadan yn suddo i freichiau blewog Jeremy Bird, a'i anwybyddu yntau! A fynta wedi prynu swper iddi yn y Cocina Italiana a phob dim! Byddai Mered yn gwneud yn siŵr bod ei henw hithau'n cael ei dynnu trwy'r baw wrth i sgandal Pico a'r gorila gael ei dadorchuddio.

Ew, roedd hi'n gynnes yn y car efo'r haul yn taro'r ffenest flaen. Agorodd y ffenest wrth ei ochr a gwthio'r sedd yn ôl nes ei fod yn lled-orwedd y tu ôl i'r llyw. Oedd hi'n amser y newyddion eto? Nac oedd. Da iawn. Doedd ganddo ddim amynedd efo cael ei fwydro gan adroddiadau diflas ei gyd-ohebwyr. Asgob, stryd dawel oedd hon. Neb o gwmpas... yn unlle. Tai... neis... hefyd. Rhaid bod... Pico Parry... yn ei... morio hi... mewn... pres... i fedru... fforddio byw... yn y... fath... le... O fewn ychydig funudau roedd Mered yn chwyrnu cysgu, a'i geg yn agored a'r sbectol dywyll yn hongian ar sgi-wiff oddi ar ei drwyn.

* * *

" 'Scuse me, love, you can't park 'ere!"

Cododd gwrychyn Eluned Ogwr. "What do you mean, can't park here!"

"It's residents only. You need a residents' permit to stay 'ere." Ych! Dyn mewn ofyrols gwaith yn gyrru Ford Fiesta!

Sythodd hithau. "I've been a resident of Cardiff all my life!"

"Not of this street you 'aven't, my love. This is my house and you're in my parking space. Now d'you mind moving? I want to get inside."

"Certainly not!" meddai Eluned yn fawreddog. Y fath draha! Pwy oedd e'n meddwl oedd e, yn credu y gallai ei symud hi, Eluned Ogwr, o'i harosfan!

"Then I'm afraid I'm going to have to call the traffic warden."

"You call away! And much good may it do you!" Gwyliodd Eluned y dyn bach llwyd yn dringo'n ôl i mewn i'r Fiesta a gyrru i lawr y stryd i chwilio am le arall i barcio.

Roedd ei sylw wedi ei hoelio ar dŷ Meleri pan ddaeth y gnoc nesaf. Arglwydd Mawr! Roedd yna ddyn mewn lifrai yn amneidio arni! Roedd y cythrel bach 'na wedi cadw at ei air! Roedd y warden wrthi'n ysgrifennu rhif cofrestru ei char yn ei lyfr. Agorodd hithau'r ffenest.

"Beth 'ych chi'n feddwl 'ych chi'n 'neud?"

"Wi'n gorffod roi tocyn i chi, madam, am bo' chi 'di parco mewn *residents' parking.*"

"Ond... ond... fedrwch chi ddim gwneud 'na! Doeddwn i ddim wedi gadael y car! Beth bynnag, does dim llinellau melyn yma!"

" 'Sdim hawl 'da chi i barco'n fan hyn oni bai eich bod chi'n *resident*, madam. Mae'r arwydd yn dweud yn ddigon clir."

"Wela i ddim arwydd yn unman!"

"Os dewch chi allan o'r car, madam, fe ddangosa i i chi lle ma' fe."

Chwythodd Eluned fel neidr. "Sa i'n mynd i adael y car i chi nac i unrhyw un!"

"Wel, mae'n rhaid i fi roi'r tocyn yma i chi ta beth. Dydd da i chi!" Gosododd y warden y tocyn yn ofalus ar ffenest flaen y BMW a throi ei gefn.

Wel, am sarhad! Dechreuodd Eluned ysgwyd gan ddicter. Roedd hi mor flin fel y bu bron iddi beidio â sylwi ar ddyn yn mynd i'r tŷ. Damo. Cip ar ei gefn yn unig a gafodd hi. Nage Jeremy Bird, doedd bosib?

Cnoc cnoc cnoc.

Agorodd y drws yn araf. O, y fath olwg ar stiwdents y dyddie hyn! Edrychai'r dyn fel pe bai'n bwyta gwellt ei wely. Roedd tyllau yn ei siwmper ac edrychai ei drowsus loncian llac fel pe gallen nhw ddisgyn o gwmpas ei fferau unrhyw funud. Ffugiodd Eluned wên.

"Ai dyma gartref Meleri Hughes?"

"Meleri? Yes, this is where Mel lives."

"Is it possible to have a word?"

"No, she's not in at the moment. I don't think she will be for a while. I think she said she was meeting her boyfriend after work." Cododd Eluned ei chlustiau.

"Who, Jeremy?"

"Yeah... think so. Changes them quite often, Mel does. Any message for her?"

"No thank you. I'll see her again," meddai Eluned a brasgamu'n ôl i'r BMW.

* * *

Deffrodd Mered wrth i'r gwynt droi'n fain a chwythu trwy'r ffenest agored. Roedd hi'n dechrau tywyllu. Bolycs! Rhaid ei fod o wedi bod yn cysgu ers oriau! Roedd golau wedi ei gynnau yn ffenestri rhai o dai'r stryd grand, ond dim arwydd o fywyd yng nghartref Pico Parry. Shit. Tybed a oedd o wedi colli rhywbeth? Blydi hel, roedd o'n stiff ar ôl bod yn lled-orwedd yn y car cyhyd. Tybed faint o'r gloch oedd hi? Estynnodd am ei ffôn symudol a deialu rhif Eluned Ogwr. Dim ateb. Rhaid ei bod hi wedi rhoi'r gorau iddi. Fyddai hi byth yn diffodd y ffôn pe bai hi'n dal i wylio. Wel am goc-yp! Ta waeth, doedd neb i wybod. Byddai fory'n ddiwrnod arall. Cydiodd yn y ffôn eto a dyrnu rhif gwesty Bethan iddo.

* * *

"Wnest ti beth?" sgrechiodd Eluned Ogwr wrth iddi hi a Mered gymharu profiadau y diwrnod wedyn.

"Wel... dim ond am 'chydig funuda..."

"Syrthiest ti i gysgu ar bwys tŷ..."

"Shshshshsh! Ti ddim isho i bawb wybod be sy'n mynd ymlaen, nac wyt?

"Fedra i ddim credu dy fod ti wedi bod mor dwp. Sut gallet ti, gwed?"

"Wel, chollais i ddim byd, beth bynnag."

"Hy! Sut galli di fod mor siŵr! Fe ddylen i fod wedi gwybod yn well na thrafferthu gwneud dim 'da ti!" Byddai unrhyw un yn credu mai Eluned oedd wedi trefnu'r holl gynllwyn.

"Wir i ti, Luned, doedd 'na'm siw na miw yn dod o'r tŷ 'na. Dw i'n meddwl bod rhaid i ni wneud rhywbeth mwy... mwy radicalaidd i gael gafael ar y dyn."

Edrychai Eluned fel pe bai'n dioddef o bwl cas o salwch môr wrth i Mered ddadlennu ei syniad.

"Parti? Yn fy nhŷ i?"

"Wel, does dim angen i ti fynd i drafferth yn nac oes? Paced neu ddau o sosej rôls a photel o win..."

"Ond tydw i ddim yn deall. Rwy'n nabod Pico Parry'n iawn wrth gwrs. Ond sa i'n gweld pa reswm fyddai gen i dros ei wahodd e i swper!"

"Ddim y fo, y lembo. Ei bartner o. Neu'i gyn-bartner
o. Jeremy Bird. Mae o'n treulio lot o amser efo'n
trainee bach hyfryd ni, Meleri Hughes."

"Felly be ti'n awgrymu?"

"Wel, ti'n gwahodd pobol yr adran i *do* bach yn dy
dŷ di. *Get together* bach anffurfiol, dyna'r cwbl. Croeso
iddyn nhw ddod â'u partneriaid. Mae Meleri'n troi i
fyny efo Jeremy – hei presto 'dan ni'n cael cyfweliad!"

Aeth Eluned i edrych yn salach. "A phryd mae'r
gyfeddach yma i fod i ddigwydd?"

"Heno? Does 'na ddim byd tebyg i daro tra mae'r
haearn yn boeth, nac oes?"

Gyda chyn lleied o rybudd doedd fawr ddim y gallai
Eluned ei wneud ond rhuthro i Marks & Spencers i
brynu pecynnau o ddanteithion parod, a photeli o'u
gwin gwyn rhataf. Diolch byth ei bod yn noson y lodj
ar ei gŵr. Fe fyddai'n gas ganddo fe weld y fath riff-
raff yn ei gartref. Gobeithio wir bod gan y rhan fwyaf
gynlluniau amgen ar gyfer y noson. Roedd y mwyafrif,
fodd bynnag, wedi derbyn y gwahoddiad yn ddiolch-
gar: Heledd Haf am ei bod hi'n credu bod y fath
achlysur yn gam i fyny'r ysgol gymdeithasol, Marilyn
am ei bod hi bron â marw eisiau gweld sut gartref
oedd gan Eluned, Bethan am nad oedd ganddi
gynlluniau gwell. Yr unig un a wrthododd yn bendant
oedd Sion Aled. Byddai deng mlynedd o lafur caled
yn Siberia yn well na noson yng nghwmni'r hen wrach
meddai wrth Mari. A'r unig un oedd yn ansicr a fedrai
hi ddod oedd Meleri.

"Rhaid i fi gweld beth mae cariad fi'n gwneud,"
meddai.

"O, dere â fe gyda ti, bach," meddai Eluned Ogwr yn ffals. "Fe fydden ni i gyd yn sobor o falch o'i gyfarfod e!"

* * *

Hanner awr wedi saith, a'i gŵr yn saff yn dadorchuddio'i frestiau yn y Masonic Hall, roedd Eluned yn barod ar gyfer y coman-jacs. Byddai'r gwin yn cael ei weini mewn cwpanau plastig – doedd y cnafon ddim yn haeddu ei gwydrau grisial. Tybed a ddylai hi gadw trysorau'r teulu yn saff dan glo?

Bri-i-i-ing! Ych! Maldwyn Lloyd, fel madfall llysnafeddog. Fe, yn ôl ei arfer oedd y cyntaf i gyrraedd a'r tebyg oedd mai fe fyddai'r diwethaf i adael. Damo Mered. Damo fe am beidio â chyrraedd yn gynt i rannu'r baich o ddiddanu angenfilod fel hwn. Damo fe am ei llusgo hi i'r fath sefyllfa o gwbl.

"Noswaith dda, Maldwyn, dyna hyfryd dy weld ti!" Sicrhaodd Eluned ei bod yn sefyll yn ddigon pell oddi wrtho, rhag ofn iddo geisio rhoi cusan iddi. Rhewodd y wen ar ei hwyneb wrth iddo roi potel o Hock yn ei llaw. "O... gwin Almaenaidd... hyfryd... dere i'r gegin ac fe agorwn ni fe nawr."

"Paid â'i agor o'n arbennig i mi," meddai Maldwyn. "Mi yfa i beth bynnag sy'n mynd yn barod. Tŷ bach neis gen ti. Cegin fach ddel." Helpodd ei hun i *vol-au-vent* a'i chnoi'n swnllyd, gan ollwng trywydd o friwsion y tu ôl iddo.

Sgyrnygodd Eluned. "Eistedd i lawr. Gwna dy hun yn gyfforddus. Nawr, lle rydw i wedi rhoi'r corcsgriw?"

Bri-i-i-ing! Canodd y gloch eto. Nage, nid Mered. Lle

roedd y cythrel? Marilyn a'i gŵr. O leia' fe allen nhw siarad â Maldwyn, gan arbed yr artaith iddi hi.

Cyrhaeddodd Mered, a'i wynt yn drewi o gwrw. Roedd yn amlwg ei fod wedi bod yn rhywle arall gyntaf.

"Lle ar y ddaear rwyt ti wedi bod?"

"Dim ond am un bach sydyn yn y Prins. 'Di o'm 'di cyrraedd, nac 'di?"

"Pwy?"

"Jeremy 'de."

"Nac yw. Ond fe alle fe fod wedi cyrraedd ac wedi mynd heb i ti fod damed callach!"

"Twt, Luned, dim ond chwarter i wyth ydi hi…"

"Ydi'r peiriant recordio 'da ti?"

"Mae o yn y car."

"Wel cer i'w nôl e! Glou! Sa i moyn ei golli e ar ôl trefnu'r parti bondigrybwyll 'ma!"

Yn raddol llenwodd y gegin a dechreuodd yr achlusur deimlo fel parti. A hithau'n nos Wener, tybiai rhai eu bod yno i fwynhau eu hunain. Roedd Mered, wrth gwrs, wedi gorfod cael caniatâd ei wraig i aros yn y brifddinas am noson ychwanegol. Am wyth, cyrhaeddodd Bethan, yn falch o gael rhywle i fynd, a Heledd Haf yn dynn ar ei sodlau. Yna daeth Delyth, gan lusgo Ellis Wynne ar ei hôl, wedyn Sian, wedyn Now.

"Mi ddylet ti fod wedi rhoi gwahoddiad i Eric," meddai Mered gan wagio'i drydydd gwydraid o win.

"Nage'n lle fi yw cofio popeth!" brathodd Eluned. "Beth bynnag, nid fy mai i yw ei fod e wedi cael y sac!"

Hanner awr wedi wyth… chwarter i naw, a dim sôn am Meleri na Jeremy.

"Well i ti'u ffonio nhw, i wneud yn siŵr eu bod nhw ar y ffordd," awgrymodd Mered.

"Sa i'n mynd i ffonio *upstart* fach o'r coleg i grefu arni i ddod i 'mharti i!"

"Ond Luned, dyna oedd holl bwrpas y par…"

Ar hynny canodd y gloch. Gydag ochenaid o ryddhad, brysiodd Eluned at y drws i'w agor.

"Eluned, wi'n *really sorry* ni'n hwyr. Oedd gwaith coleg 'da fi i gorffen a ni'n mynd mas i glybio wedi 'ny so oedd rhaid i fi gael e mas o'r ffordd." Safai Meleri yn y drws mewn crys T pefriog, sgert gwta a phâr o *trainers* anferth. Wrth ei hochr safai llipryn o lanc efo gwallt seimllyd a locsyn bach fflwfflyd. Y dyn… a atebodd y drws pan fu hi'n chwilio am Meleri y dydd o'r blaen.

"C… croeso, Meleri." Cofiodd ei bod, wedi'r cyfan, yn nith i Huw Elfed. "Dere i mewn. Hwn yw dy gariad di, ife?"

"O na, nid cariad fi yw hwn. Peter, *housemate* fi yw e. Oedd cariad fi'n methu dod. Gormod o waith 'da fe medde fe. Mae e'n ddarlithydd, wyddoch chi."

"*Hi, Lin. Nice of you to invite us. It's cool,*" meddai'r llipryn.

Edrychai Eluned fel pe bai newydd gael ei tharo gan haint difrifol. "*You'd better come in,*" meddai, gan wneud lle iddyn nhw i wthio heibio.

Anelodd y ddau am y gegin.

"*Got anything to eat here? I'm starving,*" meddai Peter.

Gan lyncu ei phoer, amneidiodd Eluned at weddillion y party pieces.

"*Got meat in them, have they. That's no good, then. I'm a vegetarian.*"

"*There's some peanuts here, Pete.*" Crwydrodd Meleri i'r cyntedd, a Peter ar ei hôl.

"*Grand piano!* Mae hynna'n ffab! Gallen ni gael karaoke!"

Disgynnodd Peter ar y soffa, ymestyn ei goesau hir o'i flaen a rowlio ffag. Eisteddodd Meleri ar stôl y piano a

dechrau bangio hen ganeuon pop. Cyn bo hir roedd pawb
wedi heidio i'r stafell i ganu 'Yellow Submarine', 'Money
Money Money' ac 'I Bob Un Sy'n Ffyddlon', ac Eluned
Ogwr yn dioddef *hot flushes* wrth ddychmygu be gallai'r
cymdogion fod yn ei feddwl.

Bri-i-i-ing! Canodd y gloch eto. Roedd dau silwet du
yn dal ei gilydd i fyny y tu allan. Sion Aled a Mari. Roedd
hi wedi'i ddarbwyllo e i anghofio'i ragfarn ac ymuno yn
yr hwyl. Yr amod oedd ei bod hi'n mynd gyda fe am beint
neu bump gyntaf. O ganlyniad roedd y ddau yn chwil
racs cyn cyrraedd.

"Oedden ni ddim yn gwybod be ti'n yfed felly 'dan ni
'di dod â gwin a lager," meddai Mari gan chwifio potel o
dan drwyn Eluned. (Rhywbeth rhad, annifyr, yn ddiau!)

"Mae'r ddau'n reit neis wedi cymysgu efo'i gilydd,"
ategodd Sion. (Be haru'r bachgen?) Baglodd y ddau i
mewn i'r cyntedd. (Roedd y noson yn mynd o ddrwg i
waeth.) "Www, posh," meddai Sion.

"Pwy sy'n canu'r piano?" gofynnodd Mari ac ymbalfalu
i gyfeiriad y gerddoriaeth.

Dirywiodd geiriau'r caneuon i fersiwn budur o 'Bing
Bong Be', a Sion a Mari'n yfed y gwin o'r botel heb
drafferthu defnyddio gwydrau. Doedd y fath ganeuon
erioed wedi eu clywed yn y parlwr parchus o'r blaen.

"Ceffyl yn y stabal Yn cicio fel y diawl Twll ei din e'n
wincian A'i goc yn twtsiad llawr... Bing-bong-y-bing-bong-
be..." gwaeddodd y criw llawen, a hyd yn oed Peter yn
darganfod digon o Gymraeg i ymuno yn y cytgan.
Dechreuodd Sion Aled ganu hynny a gofiai o gân ffiaidd
ei eisteddfod ryng-golegol olaf, cân yn ymwneud yn
bennaf â rhannau o gyrff dynion. Diflannodd Eluned i'r
gegin yn ei diflastod. Wrthi'n gollwng ei drowsus i wneud

mŵni yr oedd o pan daranodd llais diethr o gwmpas y lle.

"Beth yffarn sy'n mynd ymlaen fan hyn?"

Prin yr oedd neb yn cofio bod gan Eluned Ogwr ŵr.

"Ahem… Eluned ofynnodd i ni ddod draw. *Get together* bach i bobol o'r gwaith…" eglurodd Marilyn.

"O Roger, ti'n ôl. Diolch byth am 'ny! Oedd pethe'n dechre mynd mas o reolaeth! Wi'n credu ei bod hi'n bryd i bawb fynd adre…" Rhuthrodd Eluned yn ôl i'r parlwr.

"Bryd i bawb fynd?" Toddodd yr wyneb caled. Roedd e eisoes wedi iro'i donsils yng nghwmni'r seiri, ac yn awyddus i'w socian yn iawn. "Ond pam? Nac yw hi'n hwyr yn nac yw hi? Dewch â'r botel whisgi mas! Beth 'ych chi'n whare ar y piano, bach?"

Ac ailddechreuodd y gyfeddach, gyda gwirod gorau'r Alban yn llifo hyd oriau mân y bore.

* * *

"Be wyt ti'n 'feddwl, rhoi'r gorau iddi? Fedrwn ni ddim rhoi'r gorau iddi rŵan!"

Mered oedd wrthi fore Llun yn ceisio darbwyllo'i gyfeilles newydd nad ofer fyddai eu hymdrechion i ddarganfod y gwir am Pico Parry. Roedd Eluned eisiau rhoi'r gorau i'r chwilio ac i'r cyfeillgarwch.

"Ti wedi achosi dim byd ond helynt i mi ers i ti gael y chwilen 'ma yn dy ben. Beth mae Pico wedi'i wneud i ti, ta beth? Fydde rhywun yn credu bod gen ti ragfarn bersonol yn ei erbyn e…"

"Cym on, Lun… ddim yn aml rydan ni'n cael stori fel hon reit ar stepan ein drws, yn naci? Ti yn enwedig. Gohebydd Caerdydd! Mae hi reit yn dy batsh di!"

"Sa i'n siŵr faint o stori sy 'na! Wi'n credu mai dy ddychymyg di sydd wedi creu'r cyfan."

"Dyna jest be sydd ei angen yntê, Lun. Dychymyg. Dychmyga be ddigwyddith os ydan ni'n ffeindio rhwbath hollol newydd. Mi fedren ni adael yr orsaf radio rechwlyb yma. Mynd i weithio i rywun mawr. Y *News of the World* falla..." Crychodd Eluned ei thrwyn. "Be ti'n 'feddwl, Lun? Un cynnig arall?"

"Meredydd, mae'n amlwg na fuost ti'n treulio penwythnos cyfan yn glanhau ar ôl i ddwsin a hanner o scaliwags droi lan yn dy dŷ di..."

"Wel, roedd y cynllun yn werth ei drio, 'doedd? Biti bod Jeremy ddim yno. Parti da, hefyd."

"Tydw i ddim yn bwriadu gwneud dim byd fel 'na eto!"

"Na, na... fasa neb yn disgwyl... ti'n haeddu medal fel ag y mae hi..."

"Ac mae rhywun wedi colli rhywbeth dros fy soffa wen i. Mae un o'r breichiau'n biws!"

Cochodd Mered. Roedd ganddo frith gof am anffawd fach efo potel win wrth geisio llenwi gwydr Bethan. "Duwch, mae 'na bob math o bethau i gael gwared â staens, 'sti. Llond silffoedd ohonyn nhw ym mhob archfarchnad. P'run bynnag, gen ti ddynes ll'nau yn does? Dim angen i ti wneud y gwaith dy hun!"

Daethpwyd i gyfaddawd yn y diwedd. Fe fydden nhw'n treulio un diwrnod terfynol yn busnesa ym mywyd y gwleidydd. Pe baen nhw'n cael gafael arno byddai'r cyfweliad yn cael ei ddarlledu ar raglen arbennig Eluned Ogwr yn trafod yr etholiad. Pe baen nhw'n methu, mi fydden nhw'n rhoi'r gorau iddi, a bodloni ar gael eu hystyried yn eilradd i Ellis Wynne.

Mered gafodd y syniad symlaf, a'r mwyaf tebygol o

lwyddo. "Beth am ei ffonio fo yn ei swyddfa, a gofyn am sgwrs," meddai. "Mae'n rhaid ei fod o'n ôl yn ei waith erbyn hyn. Iesgob, 'sgin gwleidyddion ddim hawl i gymryd gwyliau!"

"Cwmni Venus? Ga i siarad efo'ch rheolwr-gyfarwyddwr chi os gwelwch yn dda... Ie, 'na fe, Pico Parry... yw e yn y swyddfa heddiw? Ma' fe'n brysur... wi'n deall 'ny... beth, ar y lein arall... wi'n fodlon dal..." A gorfodwyd Eluned i eistedd fel lemon am bum munud yn gwrando ar gerddoriaeth blastig ar y ffôn tra oedd Pico'n cwblhau ei sgwrs.

"Rwy'n eich rhoi chi drwodd nawr," meddai'r ferch o Venus, ac o fewn eiliadau roedd Eluned yn fêl i gyd yn ceisio hudo Pico Parry i'r stiwdio.

"Rhaglen i geisio cael pobl ifanc i gymryd diddordeb mewn gwleidyddiaeth ydi hi, gyda'r etholiadau mor agos... 'yn ni am i chi fod yn un o banel o wleidyddion a fydd yn cael eu holi gan y gynulleidfa...

"Ie, Mr Parry, mi alla i'ch sicrhau chi mai cwestiynau gwleidyddol fydd yn cael eu gofyn, dim byd am eich bywyd personol chi..." Cododd Mered ei fawd arni. "Ni'n awyddus i'ch cael chi yn benodol am eich bod chi'n berchennog clwb nos, ac yn gwneud rhaglenni teledu mor boblogaidd ar gyfer pobl ifanc. Go brin y byddai unrhyw un oedd yng nghabinet Callaghan yn apelio atyn nhw yn na fyddai?

"Chi'n rhydd heno am saith Mr Parry? Wi'n siŵr y gwnaiff e les mawr i'ch ymgyrch chi, yn enwedig ar ôl y... y gamddealltwriaeth fach 'na pan oeddech chi ar eich gwylie... na, fe fedra i'ch sicrhau chi na fyddwn ni'n cyfeirio at hynny o gwbl...

"Chi yn gallu dod? Ardderchog! Fedrwch chi ddod i'r

stiwdio erbyn chwarter i saith? Edrych ymlaen i'ch cyfarfod chi, Mr Parry!"

"Oeddwn i'n meddwl dy fod ti a Pico'n hen ffrindiau!" meddai Mered.

"Wel... ni wedi cwrdd â'n gilydd ar sawl achlysur. Wi'n methu deall sut nad yw e'n 'y nghofio fi!" meddai Eluned.

"Ond mae o'n dŵad heno? Blydi grêt hogan!"

"Paid â dweud dim yn rhy fuan. Ni heb drefnu gweddill y panel 'to..."

"Arglwydd mawr, 'sdim isho neb arall, siŵr. Mi fydd Pico'n ddigon ar ei ben ei hun!"

"Ond nage dyna be wedes i wrtho fe!"

"Duwcs, dim ots. Chofith o ddim. Mi fydd o'n falch o gael y leimleit i gyd iddo fo'i hun. Dw i'n mynd am beint i ddathlu!"

Sion a gafodd y dasg annifyr o drefnu cynulleidfa ar gyfer y rhaglen. Unwaith eto, cafodd y practis côr ei ohirio a ffrindiau Mari eu llusgo i stiwdio Gwifrau Gwalia. Cyn chwarter i saith, roedd pob un yn ei le. Esboniodd Madam Cynhyrchydd fod 'na westai arbennig iawn ar eu cyfer; mor arbennig yn wir fel nad oedd angen panel llawn ar y rhaglen. Roedd o'n ysu am ateb eu cwestiynau a gobeithio y byddai gan bawb rywbeth i'w ofyn iddo.

Hang on, meddyliodd Mered. Dw innau isho cyfle i ofyn rhai pethau, hefyd!

Chwarter i saith a doedd y gwestai heb gyrraedd. Brathodd Eluned ei gwefus gan gofio am drafferthion yr wythnos flaenorol.

"Paid â phoeni," meddai Mered, a thri pheint o Tennant's Extra yn rhoi hyder peryglus iddo. "Fydd o yma toc."

"Ond fe addawodd e ddod yma'n gynnar!" udodd Eluned.

Iesu, meddyliodd Mered, mae hon yn mynd yn waeth na Heledd Haf.

"Deng munud i saith... dim sôn am Pico.

"Sion, wi am i ti fynd i'w nôl e!" meddai'r cyn-hyrchydd.

"Ei nôl o? O lle?"

"Sut y gwn i? Paid â dadlau, wnei di!"

"Ond dim ond deng munud sydd i fynd!"

"Wel ma' 'da ti ddeng munud i'w ffeindio fe felly, yn does? Nage gofyn i ti nôl e ydw i. Rwy'n mynnu!"

"Hang on, Sion, ddo i efo chdi," meddai Mari.

"Wi dy angen di yma!" bloeddiodd Eluned.

Ond roedd Mari ar ei ffordd allan, yn credu bod mwy o angen help ar Sion nag ar Ms Ogwr.

"Lle 'dan ni'n mynd, Mar?" Disgleiriai diferion o chwys ar dalcen y cyw-gohebydd. Tagodd yr injan wrth iddo geisio'i thanio.

"I'w gartref o?" awgrymodd Mari. "Neu ei swyddfa. Falla'i fod o'n gweithio'n hwyr. Twt, mae'n siŵr mai wedi cael ei ddal mewn traffic mae o. Drian ni ei gartra fo, ia? Mae o'n gweithio yn Llanisien, 'tydi? Awn ni byth i fan'no cyn saith."

"Os awn ni i unman o gwbl," meddai Sion. Tagodd yr injan eto a marw.

"Gad i mi drio," meddai Mari. Ymwthiodd i sedd y gyrrwr a refio'n galed. Gwnaeth y car sŵn rhyfedd, a chychwyn. "Rŵan mae'n rhaid i ti ddeud wrtha i lle i fynd. Dw i 'rioed wedi bod yn ei gartra fo."

Bustachodd y car i stryd posh Pico Parry.

"Ti'n... ti'n meddwl ei fod o gartra?"

"Dwn i'm. Duwch, paid â phoeni. Fyddan ni wedi gwneud ein gorau, 'byddan?"

"Fydd o ddim digon da gan y Wrach. Pa un ohonan ni sy'n mynd i gnocio?"

"Gad i mi barcio'r car yma ac mi awn ni'n dau," meddai Mari.

* * *

Os oedd Siôn a Mari ar bigau'r drain, roedd pethau saith gwaith gwaeth yn y stiwdio. Herciodd y munudau heibio. Dechreuodd Eluned edliw i Mered nad oedd o wedi caniatáu iddi drefnu rhagor o banelwyr.

"Rhoi'r bai arna i rŵan ia?" ffrwydrodd yntau. "Does dim rhaid i ti wrando ar bob peth dw i'n ei ddweud, nac oes? Iesu Grist, wythnos diwetha roeddet ti'n rhedeg yr holl blydi adran ar dy ben dy hun!"

"Bydd dawel wnei di!" hisiodd Eluned, a oedd yn casáu cael ei bychanu'n gyhoeddus. "Ti oedd eisiau cyfle i ddangos pa mor glefar wyt ti... wel, ti ddim mor blincing glefar ag roeddet ti'n 'feddwl, 'nac wyt..."

"Munud i fynd," meddai Now, gan benodi ei hun yn ysgrifennydd yn absenoldeb Mari.

"A be 'dan ni i fod i'w wneud rŵan?"

"Sa i'n gwybod. Ma' fe'n siŵr o gyrraedd. Jest llenwa nes ei fod yma."

Bong! Dechreuodd yr arwyddgan efo mwy o sicrwydd nag a deimlai unrhyw un oedd yn gweithio ar y rhaglen.

"Noswaith dda, a chroeso i Ffowrm Trafod Ieuenctid Gwifrau Gwalia, y rhaglen a fydd yn helpu pobol ifanc Cymru i benderfynu dros bwy i bleidleisio ar gyfer y Cynulliad."

Bong!

"Ac unwaith eto'r wythnos yma mae ganddon ni lond

stiwdio o bobol ifanc sydd am ofyn sut y bydd y Cynulliad yn newid ein bywydau ni."

Bong!

"A heddiw rydan ni wedi trefnu gwestai arbennig iawn ar eich cyfer chi, y gwleidydd Pico Parry…" Ar y ciw yna dechreuodd y côr guro'u dwylo. "… ond yn gyntaf mi liciwn i ofyn i rai o'r gynulleidfa eu hunain be maen nhw'n ei feddwl." Gan gydio yn ei feic, gadawodd Mered ei gadair a chrwydro at y ferch agosaf. Sylwodd hithau ar y mannau llaith o dan ei geseiliau. "Be ydach chi'n gobeithio y gwnaiff y Cynulliad drostoch chi?"

"W… w… wel, dw i'm yn gwybod, *really*," meddai hi, wedi dychryn am ei bywyd. "Dw i'm yn gwybod lot amdano fe. Rhoi llais i bobol Cymru ie?"

"Chi!" meddai Mered yn wyllt, gan bwyntio at y nesaf. "Be ydach chi'n gobeithio gwnaiff y Cynulliad ei gyflawni?"

Tagodd y greadures ar yr oglau chwys. "Sai'n siŵr," meddai hithau. "Oeddwn i'n gobeithio cael yr atebion ar y rhaglen 'ma!"

Brwydrodd Mered yn ei flaen am ychydig. Ond gwyddai fod hanner awr yn amhosib. Wrth lwc, doedd Wilias ddim wedi gadael y stiwdio drws nesaf. Trawodd ei ben drwy ddrws y blwch rheoli.

"T'isho help, Blodyn?" meddai wrth Eluned.

"Nage Blodyn yw'n enw i… o… ym… wel, os fedret ti fydden i'n ddiolchgar… yn fwy na diolchgar…"

Ffidlodd Now efo rhyw switsys i wneud i'r stiwdio swnio fel pe bai hi ar fin chwythu.

"Mae'n ddrwg iawn gynnon ni. Oherwydd trafferthion technegol fedrwn ni ddim dod â Fforwm Trafod Gwifrau Gwalia i chi ar hyn o bryd. Mi ailymunwn ni â nhw cyn gynted ag y gallwn ni," meddai Wilias. "Yn y cyfamser dyma record i chi. Geraint Jarman, 'Methu Dal y Pwysa'."

* * *

"Y... y... y... y... chwilio am Mr Pico Parry rydyn ni," meddai Sion Aled wrth yr hanner dyn, hanner arth oedd wedi agor y drws.

"I be?"

"Mae... mae... o i fod i gymryd rhan mewn rhaglen ar Gwifrau Gwalia. Mae gwleidyddion yn ateb cwestiynau'r gynulleidfa, 'dach chi'n gweld, ac mae o i fod ar y panel."

Hanner chwarddodd yr arth. "Tydi o ddim yma."

"Y... y... wedi cychwyn mae o?"

"I lle? I'ch stiwdio chi? Ddim cyn belled ag y gwn i!"

Camodd Mari i'r adwy. "Mari Jones," meddai gan estyn ei llaw. Wnaeth Jeremy mo'i derbyn hi. "Edrychwch, mae Mr Parry wedi cytuno i fod ar ein rhaglen ni heno. Tydi o ddim wedi cyrraedd. Mae'r rhaglen yn dechrau am..." Edrychodd ar ei horiawr. "... mae hi wedi dechrau ers munud. Oes ganddoch chi syniad lle medrwn ni gael hyd iddo fo?"

Edrychodd Jeremy'n reit wenwynllyd. "Tydi Pico ddim yn fan hyn. Mae o'n ddigon pell. A dw i ddim yn meddwl bod 'na lawer o obaith y bydd o ar eich rhaglen chi heno. Does 'na ddim mwy y medra i ei ddeud." A chaeodd y drws yn glep yn wynebau'r ddau.

* * *

Bring-bring. Bring-bring.

Arglwydd Mawr, pwy oedd 'na rŵan! Ceisiodd Mered

agor ei lygaid. Ffycing hel, roedd ei ben yn brifo!

Bring-bring.

Ol reit, ol reit. Cododd y derbynnydd.

"Mered, wyt ti'n effro? Heledd Haf sy 'ma. Wi moyn i ti ddod i'r swyddfa. Ma' 'da fi yffach o stori i ti."

"Yffach o stori… faint o'r gloch ydi hi?"

"Pum munud i chwech. So ti 'di clywed? Mae Pico Parry 'di cael ei arestio!"

Dim ond ers tair awr yr oedd Mered yn ei wely. Roedd y noson flaenorol wedi troi'n goblyn o sesh. Doedd dim amdani ond boddi gofidiau ar ôl trychineb y fforwm trafod. "Pico Parry!" Poerodd yr enw fel pe bai'n poeri bustl o'i stumog. "Be mae'r wancer wedi'i neud rŵan?"

"Rhywbeth i'w wneud efo cyffurie. Ma' fe dros y papurau newydd i gyd!"

"Lle mae o?"

"Sa i'n gwybod. Yn y ddalfa wi'n credu. So ti'n gwybod dim byd 'te?"

"Yli, Heledd. Bydda, mi fydda i'n darllen y papurau bob dydd. Ond ddim am chwech o'r gloch y bore! Nac 'dw dw i ddim yn gwybod!"

"Wel, ti'n dod mewn neu beth? Ti moyn i mi alw tacsi i ti?"

"Iesu, Heledd, oes rhaid? Oes na neb arall fedar ei gwneud hi i ti?"

"Ffycing hel ddyn! Galw dy hyn yn ohebydd gwleidyddol? Wrth gwrs bod rhaid. Wi'n anfon tacsi i dy nôl di nawr! Os na fyddi di'n barod amdano fe fydd 'na yffach o le!"

Yyyyyyyyyyych! Teimlai Mered ryw don ryfedd o *déjà-vu* yn llifo drosto wrth iddo lusgo'i hun allan o'r gwely.

Wnaeth pethau ddim gwella ar ôl iddo gyrraedd y

swyddfa. Llifodd y mymryn egni o'i gorff wrth iddo ddarllen yr hanes. Y basdad! Hyd yn oed yng nghell yr heddlu roedd Pico fel pe bai'n chwerthin am ei ben. Fe'i harestiwyd am chwech y noson cynt. Awr arall ac fe fyddai wedi bod yn saff yn y stiwdio. Roedd gohebwyr y papurau i gyd yn gwybod yn iawn be oedd wedi digwydd tra oedd Mered yn mwydro a malu cachu yn cymryd arno y byddai'r gwleidydd yn cyrraedd unrhyw funud.

"Wel 'te?" Safodd Heledd Haf o'i flaen a'i dwylo ymhleth.

"Wel be?"

"Be s'gen ti i'w weud?"

Temtiwyd Mered i ddweud ffyc off wrthi ond doedd ganddo mo'r egni. "Dim byd."

"For God sêc, Mered. So ti 'di bod ar drywydd Pico Parry ers pythefnos ac yn methu gweud dim!"

"Mae o i gyd o dy flaen di'n fa'ma!" Pwyntiodd Mered at y pentwr papurau.

"Yw e'n wir, 'te?"

"Be?"

"Y busnes cyffurie 'ma."

"Sut gwn i? Tydi o ddim wedi cael ei gyhuddo heb sôn am ei brofi eto!" Hyrddiodd Mered y papur ar y ddesg a'i gwneud hi nerth ei draed am y tŷ bach.

Jing-a-ling-ding-dong-jing-a-ling-ling!

"Maldwyn Lloyd a Newyddion Saith ar Gwifrau Gwalia. Y penawdau.

"Y gwleidydd Pico Parry yn cael ei holi gan yr heddlu ar ôl i gyffuriau gael eu darganfod yn ei glwb nos.

"Gwaith i ddechrau ar ffordd osgoi newydd Bryn-y-gog..."

Eisteddodd Mered yn swp gyferbyn â fo, yn gwneud

ei orau i reoli'r corddi yn ei stumog.

"Mae'r ymgeisydd ar gyfer y Cynulliad, Pico Parry, yn ôl yn y newyddion. Mae e'n cael ei holi gan yr heddlu ar ôl i gyffuriau gael eu darganfod yn y clwb nos sy'n eiddo iddo yng Nghaerdydd. Yn ymuno â ni rŵan mae ein prif ohebydd gwleidyddol, Meredydd Huws – pryd yn union y cafodd o'i arestio, Meredydd?"

Asgob, roedd y cyflwynydd yn un milain, yn cymryd mantais ar unrhyw esgus i roi cyllell yng nghefn ei gydweithiwr. Penderfynodd Mered droi'r dŵr i'w felin ei hun. "Mae'n siŵr eich bod chi'n gwybod, Maldwyn, bod Mr Parry i fod i ymddangos ar Y Fforwm Trafod, rhaglen wleidyddol fyw ar Gwifrau Gwalia neithiwr. Wel, wnaeth o ddim, wrth gwrs. Ac wrth geisio darganfod beth oedd wedi mynd o'i le y cawson ni wybod ei fod o wedi ei arestio."

Agorodd llygaid Heledd Haf yn fawr fel soseri. Gwgodd Maldwyn.

"Ac ynglŷn â be mae o'n cael ei holi gan yr heddlu?"

"Wel," meddai Mered yn bwyllog. Roedd hi'n haws rheoli'r tonnau o benysgafndod oedd yn dod drosto pan oedd yn siarad yn araf. "Mae'n debyg bod yr heddlu wedi bod yn ei holi o drwy'r nos. Mae'n ymddangos fel pe bai cyflenwad go fawr o gyffuriau wedi eu darganfod yn ei glwb nos, y Paradiso – clwb sy'n adnabyddus i nifer am mai yno y mae'r Rêf Gymraeg yn cael ei ffilmio."

"Pa fath o gyffuriau'n hollol?"

"Cocên, ecstasi... y cyffuriau sydd ar gael mewn nifer o glybiau nos. Ond yr hyn sy'n poeni'r heddlu'n arbennig ynglŷn â'r cyflenwad yma ydi'r cyffur newydd – wel, newydd i ni yng Nghymru beth bynnag – y maen nhw wedi'i ffeindio. Rhywbeth tebyg i'r cyffur Viagra ydi o...

cyffur sydd ar gael i helpu dynion anffrwythlon. Mae'r
heddlu'n dweud y gallen nhw fod yn hynod o beryglus
am nad oes profion meddygol wedi eu cynnal arnyn nhw.
Mae'n debyg eu bod nhw'n llawer cryfach na Viagra, a
does neb yn gwybod pa effaith y medran nhw'i gael ar y
sawl sy'n eu cymryd…"

"Gwych, Mered. Ffantastig!" galwodd Heledd Haf wrth
iddo adael y stiwdio. "Ond y jawl bach yn tynnu 'nghoes
i fel 'na cyn i ni fynd ar yr awyr. Ti'n gwybod 'mod i'n
nervous wreck cyn pob rhaglen!"

Llusgodd y diwrnod yn ei flaen, a Mered yn teimlo'n
salach wrth yr awr. Ei unig gysur oedd bod Pico Parry
siŵr o fod yn teimlo'n sâl yn y cop shop hefyd. Roedd
Eluned Ogwr yn fwy ffroenuchel nag erioed, ac yn rhoi'r
bai'n gyfan gwbl arno fo am lanast y noson flaenorol.
Wnaeth hi ddim cyfaddef iddi hi fod yn swyddfa Huw
Elfed am dros hanner awr yn cael ffrae am gynhyrchu'r
fath siop siafins.

Anfonwyd Mered i swyddfa'r heddlu i wneud adrodd-
iad ar gyfer amser cinio. Doedd dim sôn am unrhyw
ohebwyr eraill yno. Roedden nhw eisoes wedi cael y stori
y noson cynt. Doedd fawr ddim y gallai yntau ei
ychwanegu. Teimlai'n rêl nionyn yn sefyll y tu allan i'r
orsaf yn cyfaddef wrth y gwrandawyr nad oedd ganddo
unrhyw beth newydd i'w ddweud.

Yn y cyfarfod pnawn roedd pawb mewn penbleth
ynglŷn â sut i drin yr helynt. Yn ddistaw bach, pitïai Mered
nad oedd Eric yno. Byddai ei sylwadau gwirion wedi
tynnu sylw oddi wrth y ffaith nad oedd ganddo fo ei hun
unrhyw beth gwerth ei ddweud.

"Viagra, Viagra, Viagra – fasa hi ddim yn syniad cael
gafael ar rywun sy wedi trio Viagra?" gofynnodd Ellis

Wynne gan ddrymio'i fysedd yn erbyn y ddesg.

" 'Rioed wedi teimlo'r angen, fy hun," mwmiodd Mered.

"Nac wyt, mwn!" meddai Mari. "Cael rhywun i gyfaddef fydd y broblem."

Rhoddodd Bethan winc ar Sion Aled, a oedd wedi troi'n fflamgoch. "Duwadd mae'n boeth yma," meddai. "Ti isho i mi agor y ffenest, Sion?"

"D... d... dw i'n meddwl b... b... bod rhaid i mi fynd i'r tŷ bach," meddai Sion. "A... a... angen dôs arall o eli ar y p... plorod 'ma!"

"Be ydan ni'n mynd i'w wneud ynglŷn â Pico'i hun?" holodd y bòs.

"Ti yw'r Golygydd, Ellis. Ti ddylai fod yn rhoi arweiniad i ni," brathodd Eluned.

"Cofiwch nad oes ganddon ni ddim hawl dweud dim byd os caiff o'i gyhuddo," meddai Mered. "Tydan ni ddim isho gwneud ffyliaid ohonan ni'n hunain eto trwy dorri'r gyfraith, yn nac ydan?"

Edrychodd Eluned arno'n flin.

"Na, ond dw i ddim eisiau colli stori dda, chwaith," meddai Ellis. "Mered, dw i'n meddwl y dylet ti fynd yn ôl i orsaf yr heddlu, i wneud cyfweliad efo Pico os caiff o'i ryddhau. Eluned, tria di ffeindio doctor fedar egluro be ydi peryglon Viagra. Sion... ydi Sion Aled yma? Ti'n ifanc, dos di i chwilio am bobol fydd yn mynd i glybio i weld ydyn nhw wedi dod ar draws y cyffuria 'ma."

Aeth yr eiliadau'n funudau, a'r munudau'n oriau. Prynodd Mered gopi o bob papur posib, a llyncu pob briwsionyn o wybodaeth er mwyn medru malu awyr gyda pheth argyhoeddiad. Ffoniodd swyddog cyhoeddusrwydd yr heddlu dro ar ôl tro, nes ei bod hi bron sgrechian. Pe bai hi'n gwybod ei fod o reit y tu allan i'w swyddfa byddai wedi bachu ei ffôn symudol, a'i daflu i ebargofiant. Ac os oedd Mered yn mwydro'r swyddog, roedd Ellis Wynne yn ei fwydro yntau.

"Unrhyw newydd eto…?"

"Unrhyw newid eto…?"

"Oes 'na ddatblygiad…?"

"Ffo ffyc sêc, adawa i i ti wybod cyn gynted ag y digwyddith rhwbath, ocê!" gwaeddodd Mered yn y diwedd, a'i ben yn hollti.

Canodd y ffôn unwaith eto ychydig cyn i *Pnawn Da* ddechrau. "Ellis sy 'ma… be 'di'r diweddara?"

Ochneidiodd Mered. "Yn union 'run peth ag roedd o ddeng munud yn ôl, Ellis."

"Ocê, ti ar yr awyr mewn deng munud, iawn?"

"Felly be ti isho i mi'i ddeud?"

"Dw i'm yn gwybod! Chdi 'di'r gohebydd! Tria'i wneud o'n wahanol i amser brecwast ac amser cinio, dyna'r oll."

Newydd osod y ffôn i lawr yr oedd o pan ddaeth yr alwad arall. "Diolch yn fawr," meddai Mered wrth y ferch o swyddfa'r wasg, yn gwrtais am y tro cynta ers iddo gael ei ddeffro y bore hwnnw. "Ellis… Ellis…" galwodd ar y ffôn wedyn. "Wyt ti'n gwrando arna i? Maen nhw wedi'i gyhuddo fo! Mae Pico Parry wedi'i gyhuddo!"

"O na!" meddai Ellis yn siomedig. Golygai rheolau caeth nad oedd fawr ddim y gallen nhw'i gyhoeddi unwaith yr oedd cyhuddiad wedi'i wneud. "Ei gyhuddo fo o be?"

"O fod â chyffuriau yn ei feddiant efo'r bwriad o'u cyflenwi," meddai Mered. "Ti'n gwybod na fedra i ddim dweud mwy na hynna 'n dwyt? Mae hynny'n golygu y medra i fynd adra'n tydi. Does 'na'm pwynt i mi aros yn fan hyn!"

Damia! Dyna fynd â'r gwynt o hwyliau *Pnawn Da*!
Dyna bìn yn swigen y Golygydd hefyd. Roedd o wedi
gobeithio cael rhaglen gyffrous. Ond gydag ochenaid o
ryddhad yr estynnodd Mered oriadau'i gar a throi am
adref. Doedd tamaid o ots ganddo fo bellach beth oedd
hanes Pico Parry.

PENNOD 9

Hydref, 1999

"FAINT MWY mae'r achos i fod i bara?"

Roedd Bethan yn ôl yng ngwely Mered. Hawdd cynnau tân ar hen aelwyd. A dweud y gwir, roedd hi yno'n reit aml. Fyth ers i Eric gael ei ddarostwng yn ymchwilydd roedd hi wedi gorfod teithio i Gaerdydd yn gyson, i gynhyrchu rhaglenni pwysig. Rhoddodd Mered ei fraich amdani.

"Hiraeth am y gogledd sy gen ti?"

"Mmm. Ddim felly. Dw i'n ddigon hapus yma ar hyn o bryd."

Rhoddodd Mered gusan swnllyd iddi. " 'Swn i 'feddwl, wir. Dw i'n gwneud 'y ngora i dy gadw di'n hapus!"

"Jest meddwl be sy'n mynd i ddigwydd iddo *fo* rydw i."

"Pwy, Russell? Mae'r siop tships yn ddigon agos, 'tydi?"

"Ddim fo, lembo. Pico 'de."

"Be amdano fo?"

"Ydi o'n mynd i gael get awê efo petha?"

"Dod yn rhydd, ti'n 'feddwl?"

"Ia."

"Mae Pico'n mynd i lawr am amser maith."

"Mae o'n euog, felly?"

"Glywaist ti am wleidydd diniwed erioed?"

Ers dyddiau, roedd Mered wedi bod yn y llys o fore

gwyn tan nos. Doedd o ddim wedi cael amser i fynd am beint amser cinio, hyd yn oed. Roedd o'n rhy benderfynol o beidio â cholli un manylyn o hanes y cyn-wleidydd. Beth bynnag a fyddai canlyniad yr achos, roedd un peth yn sicr. Roedd hi'n annhebygol y gallai o ddychwelyd i rengoedd breintiedig y Blaid Lafur. Doedd y blaid ddim eisiau ei adnabod. Waeth pa mor barod oedd ei harweinydd i gael tynnu ei lun efo'r Brodyr Gallagher a myrdd o sêr eraill, roedd cael dosbarthwr cyffuriau honedig ymhlith ei hymgeiswyr yn mynd gam yn rhy bell. Ac er nad oedd ganddo ddim i'w wneud â'r etholiad, Pico a gafodd y bai pan fethodd y blaid â chipio 'sedd saff' Canol Dinas Caerdydd. Roedd o'n fwch dihangol go handi am iddi beidio â gwneud cystal â'r disgwyl yng ngweddill y wlad, hefyd. Ond roedd ei enw o'n dal yn y penawdau ymhell ar ôl i'r gwleidyddion eraill gael eu hanghofio a diflannu i berfeddion Bae Caerdydd, i geisio rhoi trefn ar restri aros ysbytai, gwneud i ffermwyr beidio â chwyno, a stopio cŵn rhag cachu ar balmentydd Gwlad y Gân.

Roedd 'na dawelwch am dipyn. Yna dechreuodd Bethan holi eto.

"Tydi'r ffaith eu bod nhw wedi ffeindio cyffuriau yn y clwb ddim yn golygu mai Pico oedd yn eu gwerthu nhw, nac 'di?"

"Be sy'n bod arnat ti? Isho'i briodi o neu rwbath wyt ti? Ella nad y fo oedd yn eu hwrjo nhw ar y cwsmeriaid, ond fo oedd y brêns y tu ôl i'r peth. Mae hynny cyn wiried â phadar i ti."

"O?"

"Ti'n gwybod y cyfweliad 'na a wnaethoch chi efo fo yn Heathrow? Lle deudodd o oedd o wedi bod ar ei wylia?"

"Sbaen. Yn aros efo ffrindia."

"Uffar o ffrindia 'dyn nhw, wir i ti. Oedd ganddo fo gysylltiada dioddorol iawn yn Sbaen. Wel, ddim yn Sbaen ei hun. Ibiza. Ynys y clybia. Elli di gael gafael ar betha gwallgo yn fan'no. Fan'no y byddai Pico'n mynd i gael gafael ar ei gyffuriau."

"Ibiza…?"

"Ti 'di bod 'no? Cannoedd o glybia nos. Dros y lle i gyd. Lot ohonyn nhw'n cael eu rhedeg gan Saeson. Dyna pwy oedd ffrindiau Pico i ti. Mi fydda fo'n mynd yno sawl gwaith bob blwyddyn i ffeindio be oedd y trends diweddara. Dillad, miwsig, DJs… dyna sut roedd y Paradiso mor llwyddiannus. Clwb mwya ffasiynol Caerdydd. Ond oedd hynny ddim yn ddigon ganddo fo. Oedd yn rhaid iddo fo gael y drygia diweddara hefyd…"

"Ond… ti ddim yn deud wrtha i'i fod o'n eu cludo nhw…"

"Ddim y fo, siŵr. Ei *heavies* o a fyddai'n gwneud y gwaith budur. Mastermeindio'r cyfan, dyna a fyddai Pico'n ei wneud."

"Sut wyt ti'n gwybod hynna? Tydyn nhw ddim wedi'i ddeud o yn y llys, yn nac 'dyn?"

Sws arall wlyb, lafoeriog. "Mae gen innau 'nghysylltiadau, 'sti."

"Oedd ei gariad o ddim yn rhan o hyn i gyd, 'ta?"

"Pwy?"

"Jeremy Bird."

Pesychodd Mered yn annifyr. Doedd o ddim yn hoffi cyfaddef iddo fod yn dilyn trywydd cwbl anghywir. "Ia, Jeremy Bird. Un rhyfedd 'di o, yntê."

"Fo ddechreuodd yr helynt, 'de, yn codi stŵr bod Pico wedi diflannu."

"Dw i'n dal i ddeud bod petha ddim yn iawn rhyngddyn

nhw. Pwy a ŵyr, falla bod Jeremy'n genfigennus. Ddim yn licio gweld Pico'n morio mewn pres ac ynta ond yn ddarlithydd rhan-amser. Neu bod Pico yn genfigennus ohono fo. Mae Jeremy'n licio dynion a merched, wyddost ti. Chwarae ffwtbol a chricet, fel petai. Oedd ganddo fo gariad arall. Fodan. Dw i ddim yn meddwl bod Pico'n licio hynny. Dw i'n amau bod petha'n reit hyll rhyngddyn nhw. Go brin y cawn ni byth wybod y gwir."

* * *

"Mae o'u euog, bobol. Mae o'n mynd i lawr am ddeng mlynedd!" Wedi pythefnos o dyndra roedd Mered yn neidio i fyny ag i lawr fel Jac-yn-y-bocs wrth ddweud y newydd wrth ei gyd-weithwyr.

"Asgob, y diawl bach iddo fo. 'Na i dy drosglwyddo di i Bethan. Hi sy'n cynhyrchu newyddion amser cinio," meddai Mari.

"Beth, mi ddeudais i yn do? Deng mlynedd o garchar! Geith o anghofio'i bolenta. Dim byd ond uwd i Pico am ddeng mlynedd rŵan!"

"Diawl o deimio da!" meddai hithau, "Jest mewn pryd ar gyfer yr Un!"

"Hy, mi fydd o allan mewn pump," mwmiodd Maldwyn, i drio rhoi'r dampar ar bob peth.

Mi ddylai o fod wedi'i chael hi'n llawer gwaeth, meddyliodd Sion. Noson efo Eluned Ogwr y byddwn i wedi'i rhoi iddo fo. Fasa fo angen y tabledi 'na wedyn!

"Ti'n mynd i wneud adroddiad i ni, 'ta?" gofynnodd Bethan. "Does gen ti ddim llawer o amser i baratoi."

"Tw-we os ti ddim yn meindio," meddai Mered. "Gaiff Maldwyn ofyn beth bynnag fynnith o. Dw i wedi gwneud fy ngwaith cartref!"

"Maldwyn Lloyd a Newyddion Un..."

Safai Mered y tu allan i adeilad mawreddog y llys, a'i ffôn symudol yn un llaw a chlamp o ambarél yn y llall. Rhoddodd winc ar y gyfreithwraig ddeniadol oedd wedi rhoi cymaint o fanylion cefndir iddo. Roedd hi wedi mentro allan i ganol y glaw i glywed ei adroddiad. Diolch iddi hi, roedd ganddo ddigon o wybodaeth am y cyn-wleidydd – gwybodaeth na fyddai gan y gohebwyr eraill, gobeithio.

"O fewn y munudau diwethaf mae'r cyn-ymgeisydd ar gyfer y Cynulliad Cenedlaethol, Pico Parry, wedi ei ddedfrydu i ddeng mlynedd o garchar. Clywodd Llys y Goron Caerdydd mai fo oedd yn gyfrifol am reoli rhwydwaith o werthwyr cyffuriau yn y brifddinas. Ar y ffôn o'r llys dyma'n prif ohebydd gwleidyddol, Meredydd Huws. Meredydd, be sy wedi bod yn digwydd yn ystod y bore?"

"Wel, Maldwyn. Mae Pico Parry y pnawn 'ma yn dechrau cyfnod maith dan glo. Mi ddeudodd y bwrnwr wrtho'i fod o'n ddyn drwg iawn, a hynny ar ôl i'r rheithgor benderfynu ei fod o'n euog o ddosbarthu cyffuriau yng Nghaerdydd. Roedd y cyhuddiad wedi'i wneud ar ôl i'r heddlu gael hyd i gyflenwadau helaeth o gyffuriau yn ei glwb nos o, y Paradiso. Mi fyddai'n eu dosbarthu nhw ymysg gwerthwyr cyffuriau llai, a'r rheini wedyn yn eu gwerthu ar hyd a lled y ddinas."

"A beth oedd gwerth yr holl gyffuriau yma?"

"Does neb yn siŵr," meddai Mered. "Roedd yna ecstasi a chocên yn y clwb, ond cyflenwad gweddol fach o'r rheini oedd ganddo mewn gwirionedd – gwerth rhyw bum mil ar hugain. Yr hyn oedd wedi dychryn yr heddlu oedd y nifer mawr o dabledi Viagra ffug oedd yno. Tydyn nhw ddim wedi medru dweud wrthyn ni faint yn union o elw y gallai Parry fod wedi'i wneud oddi wrth y rhain am eu bod nhw'n bethau mor newydd yma yng Nghymru. Maen nhw wedi bod yn cyd-weithio â phlismyn mewn gwledydd eraill – yn enwedig yn Ibiza lle mae'n debyg bod y cyffur yn hynod o boblogaidd."

"Deudwch fwy am y cyffur yma wrthyn ni, Meredydd."

Wel, dw i'n siŵr y basa fo'n llwyddo i ddod â gwên i dy hen wep di, meddyliodd Mered. Atebodd yn ei lais mwyaf slic. "Fersiwn ffug o'r cyffur Viagra, sy'n galluogi dynion anffrwythlon i gael rhyw ydi o. Y peth ydi, mae'r fersiwn ffug yma'n llawer cryfach, felly mae'r effaith... yn fwy dramatig..."

Diflannodd Sion Aled i'r tŷ bach.

"Mae Viagra, wrth gwrs, yn galluogi dynion anffrwythlon i gael pleser rhywiol. Wel, rydan ni i gyd yn gwybod mai rhan o... rhan o fwriad pobol sy'n mynd i glybio ydi chwilio am bartneriaid rhywiol, ond weithiau mae alcohol a blinder a chyffuriau eraill yn cael effaith ar..."

"Gofalus!" rhybuddiodd Bethan yn y blwch rheoli.

"... yn lliniaru rhywfaint ar bleser y weithred..."

"Gofynna gwestiwn arall," meddai Bethan wrth Maldwyn. "Does dim rhaid i ni gael y manylion am *pissheads* efo *impotency problems* ar yr awyr!"

"Ydi'r tabledi 'ma'n dal i gael eu gwerthu yng Nghaerdydd?" ymyrrodd Maldwyn.

Crechwenodd Mered. "Oeddwn i'n disgwyl i chi ofyn hynna, Maldwyn! Wel, er gwybodaeth, mae'n debyg bod rhai o gwmpas y lle o hyd. Pico Parry oedd yn eu mewnforio nhw, ond mewn gwirionedd, ychydig o gysylltiad y byddai o'n ei gael efo nhw wedyn. Fydda fo ddim hyd yn oed yn mynd i'r clwb mor aml â hynny, heblaw pan fyddai o'n ffilmio'r Rêf Gymraeg. Fel y deudais i, yr hyn y byddai o'n ei wneud oedd dosbarthu'r cyffuriau ymysg cyflenwyr llai, a nhw wedyn oedd yn eu gwerthu ymlaen. Tydi'r heddlu ddim wedi dal pob un o'r cyflenwyr bychan yma, felly'r tebyg ydi bod modd cael gafael yn y cyffur yma o hyd!"

"Ai dyma ddiwedd hanes Pico Parry nawr?" gofynnodd Maldwyn, gan synhwyro'r coegni yn llais Mered.

"Y... y diwedd?"

"Yn wleidyddol."

"Wel, fedar o ddim gwleidydda yn y carchar yn na fedar! Ond cofiwch..." Dechreuodd godi stêm unwaith eto. "... mae wythnos yn amser maith mewn gwleidyddiaeth. Pwy a ŵyr na fydd y cyhoedd yn barod i faddau iddo fo erbyn y daw o allan o'r carchar. Peth arall, ac yntau'n pledio'n ddieuog i'r cyhuddiadau yn ei erbyn, mi fydd yn siŵr o apelio. Os ydi'r apêl yn llwyddiannus mi allai fod â'i draed yn rhydd ymhen ychydig fisoedd, ac os felly mi fyddwn i'n synnu'n ofnadwy pe na bai o eisiau ailgydio yn ei yrfa wleidyddol."

"Fyddai'r Blaid Lafur yn debygol o'i groesawu o'n ôl?"

"Y cwestiwn mawr, Maldwyn, ydi a fyddai Pico Parry eisiau mynd yn ôl at y Blaid Lafur! Rhaid i ni gofio bod gwleidyddiaeth Cymru wedi newid cryn dipyn ers i'r helynt yma ddechrau yn y gwanwyn. Peth arall ddeudodd y barnwr yn y llys y bore 'ma oedd bod Parry yn ddyn ifanc uchelgeisiol iawn. Mae 'na bedair plaid yng Nghymru... pleidiau gweddol fawr hynny yw, a does wybod pa un ohonyn nhw a fyddai'n cynnig y cyfleoedd gorau i ddyn ifanc uchelgeisiol ymhen ychydig flynyddoedd."

Roedd y drafodaeth yn dechrau mynd yn rhy ddwfn i Maldwyn. Cliriodd ei wddw'n rhwysgfawr. "Diolch yn fawr i chi, Meredydd," meddai. "Awn ni 'mlaen efo gweddill y newyddion…"

"Mered, wyt ti'n swnio'n berson gwahanol pan wyt ti ar yr awyr!" Roedd y gyfreithwraig wedi bod yn gwrando ar bob gair.

"Anna! Doeddwn i ddim yn gwybod dy fod ti'n dal yma! Be oeddet ti'n feddwl, 'ta?"

"Da iawn. Ti'n swnio fel 'taset ti wedi gwneud lot o ymchwil," meddai hi gan chwerthin.

Gwenodd Mered fel giât. "I ti mae'r diolch am hynna. Ti roddodd yr holl wybodaeth cefndir i mi pan gawson ni ginio pwy ddiwrnod. Faswn i'n gwybod dim am y busnes cyffuria 'ma oni bai amdanat ti!"

"Faswn i'n licio talu'n ôl i ti am y cinio 'na."

"Twt, dim angen o gwbl, wir i ti. Roedd hi'n bleser cael dy gwmni di…"

"Na, wir!" Gwenodd Anna'n awgrymog. "Oes gen ti gynlluniau ar gyfer cinio rŵan?" Roedd Mered wedi bwriadu ymgyfarwyddo unwaith eto â bar y Prins O' Wales. "Fydd neb yn 'y nisgwyl i'n ôl yn y swyddfa y pnawn 'ma."

Asgob! Mi gâi'r Prins O' Wales aros! Doedd y fath gynnig ddim yn dod bob dydd. Byddai'n rhaid i'r landlord fyw heb ei gwmni am ddiwrnod arall. Ar hynny, canodd ei fobeil.

"Mered? Bethan sy 'ma. Oeddet ti'n wych amser cinio. Bril! Gwranda, ti'n brysur rŵan? Dw i newydd orffen fy shifft. Meddwl y gallen ni fynd am beint bach, gan dy fod ti wedi bod yn gweithio mor galed dros y dyddiau diwetha…"

Damia! "O, diolch i ti am feddwl, Blodyn. Ond mae gen i dipyn o waith i'w wneud o hyd, 'sti. Paratoi at yr apêl aballu. Mae tîm cyfreithiol Pico Parry i gyd o gwmpas y pnawn 'ma. Mae jest yn amhosib cael gafael arnyn nhw fel arfer. Well i mi fwrw 'mlaen efo hynny dw i'n meddwl. 'Drycha... beth am i ni gyfarfod yn nes ymlaen... heno falla? Wyth o'r gloch? Yn yr Half Way? Iawn, wela i chdi yno. Hwyl!"

"Ochr rong!"

"Be?"

"Ochr rong!" meddai Anna eto. "Un o dîm yr erlyniad oeddwn i, ddim tîm Pico Parry. Dyna pam 'dan ni'n dathlu!"

"*Journalistic licence!*" meddai Mered gan godi'i ysgwyddau. " 'Sgen ti rywle arbennig mewn golwg?"

"Tydi'n fflat i ddim yn bell. Efallai nad ydw i'n ail Delia Smith, ond mi fedra i wneud pasta. Ac mae gen i botel o siampên yn y ffrij." Estynnodd oriadau'i BMW a throi am y maes parcio.

Whiw! Pasta, siampên a phnawn cyfan yng nghwmni Anna! Dechreuodd Mered drotian ar ei hôl. Hir oes, Pico Parry! meddyliodd gan ddiffodd ei fobeil.